Treize minutes

Nicolas REY

Treize minutes

ROMAN

À mademoiselle Armelle
et monsieur Strazzulla

> « *La perversité est un mythe inventé*
> *par les bonnes gens*
> *pour expliquer l'étrange attrait des autres.* »
>
> Oscar WILDE

1

L'aisance des bas-fonds

J'ai rien contre les injustices. Bien au contraire.
Mais les cadenas, serrures et autres digicodes n'ar-
riveront jamais à la cheville d'un verrou de toilettes.
C'est l'évidence même. Y a pas d'amalgame possible. Quand les uns vous cachent et vous enfer-
ment, l'autre vous soulage et vous libère. Un verrou
de toilettes, il faut l'effleurer comme une vieille
pute qu'on oserait appeler maman. L'objet a trop
souffert pour être manipulé autrement qu'avec le
plus grand soin. Allez donc jeter un œil dans la
mémoire de ce bout de ferraille chancelant. Tripo-
tages empressés, moments honteux et indélébiles,
diarrhées frénétiques. C'est le camarade des
misères autant que des plaisirs. Bienvenue au pays
de l'étreinte et du vomi, quand l'angoisse s'arrange
avec le soulagement.

Tu m'étonnes que le truc ait souvent du mal à
fermer.

Moi, j'y suis allé tout doucement. J'en ai pris soin
comme d'un enfant malade. Il a bloqué un peu au
début, s'est raidi. Je lui ai murmuré : « C'est pas
grave mon grand, ça arrive à tout le monde. »

Alors, dans un léger grincement, il a fini par se laisser faire. Faut dire que j'arrêtais pas de lui parler. Et dès qu'on parle, ça facilite quand même pas mal les choses.

Devant la glace, j'ai fait de jolies bulles de salive avec ma bouche. Je ne quittais pas le miroir des yeux. J'admirais calmement le bon déroulement de mes œuvres éphémères. J'ai toujours été un type très méticuleux en ce qui concerne les gestes futiles. Théo a voulu défoncer la porte pour m'extraire de cette caverne.

«Ehhhh, vieille routière des bas-fonds. Y a dix pétasses qui attendent pour pisser et mon hétéro qui est en train de prendre la pouuuudre d'escampette.

— Fais gaffe au verrou. C'est très fragile, un verrou.

— Vite, Simon. C'est l'hôôômme de ma vie. T'as vu son cul. Il a un cul sublime.»

Je suis sorti des toilettes pour dames. J'ai procédé à un court arrêt devant la minette qui se trouvait en pole position dans la file d'attente. J'ai tenté de me redresser un peu. De lui faire gober l'espace de quelques secondes qu'elle se trouvait en face du fils de Carmen et d'un grand torero. Elle m'a dévisagé jusqu'à ce que sa bouche se crispe de dégoût. Pour un premier contact, notre relation démarrait sur des fondations plutôt fragiles. Je lui ai demandé si elle était douée pour faire des bulles de salive avec sa bouche. Mais elle n'a pas répondu. Elle a juste claqué la porte et actionné violemment le verrou. Celui-ci a dû terriblement souffrir. J'avais eu doublement raison de lui donner un peu de tendresse juste avant.

La rampe d'escalier m'emmena, en toute gentillesse, vers l'épais nuage du café. Ils étaient deux face à mon camarade. Théo regardait la fille comme si elle était la plus grande salope du système solaire. Elle avait la main sur le genou du jeune homme au fameux «cul sublime». Et le «cul sublime» paraissait bien embêté entre sa gonzesse et Théo le magnifique. Je me suis assis au moment où Théo déclarait que *les vrais hétéros, ça n'existait pas*.

La fille s'est mise à rigoler mais d'un rire pas joli du tout.

«Écoute, mademoiselle Agnès, ai-je grincé, je vais te filer un petit conseil. Ne rigole plus jamais comme tu viens de le faire.

— Je m'appelle pas Agnès.

— Un rire, c'est trop magnifique pour supporter les imitations. Ton rire forcé, volontaire, qui sort du tarin, ce n'est qu'un triste plagiat de l'ami des larmes. Une sordide contrefaçon. Un rire, ça doit venir du ventre et se finir en bouquet dans la gorge. Comme une joie qui déplierait ses ailes. Et puis non. Je me goure. Un rire, ça n'a pas de loi. Faut le laisser libre, juste qu'il s'envole à la manière d'un CUL auquel on offrirait un deuxième L.»

Je l'ai regardée avec le sourire du docteur Petiot et je l'ai sentie à point. Les lèvres pincées et la bave au coin des lèvres.

«C'est toujours comme ça que tu t'amuses, la nuit, avec ton copain pédé?

— Ne parle pas de la nuit, rétorquai-je.

— Ne parle pas des pédés, rajouta Théo.

— Toi, c'est le rouge, ma chérie. Le feu rouge ou vert. Et bien ferme. Et que ça saute! L'obligation et l'interdiction au garde-à-vous. Les sens interdits en pagaille. T'es la représentation presque vivante d'une putain de journée. La nuit, mon ange, même les feux se mettent à faire des clins d'œil. Des milliers de clins d'œil orange. Chaque nuit. Histoire qu'on se sente un peu moins seul dans notre errance.

— C'est comme pour les verrous », compléta Théo.

« Agnès la journée » s'est levée pour aller prendre son manteau. Elle a balancé à son copain un « Viens, on y va » qui ne présageait rien de bon pour les vingt années à venir du jeune homme. Alors qu'on s'attendait à une réponse immédiate, l'acquiescement de « cul sublime » se bloqua un court instant. Un silence d'une poignée de secondes. Comme si le gars venait d'avaler de travers. Un petit doute éphémère et vertigineux dans sa vie en future ligne droite. Je me suis dit que Théo devait être en train de prier sainte Rita et tous les autres leaders d'opinion spécialistes des cas désespérés.

« J'arrive », a juste murmuré le type.

Une fois seul, Théo a rajusté sa cravate et s'est légèrement recoiffé.

« Toujours essentiel d'être élégant lorsque la tristesse arrive, a-t-il paradé.

— T'es un prince, Théo. Un vrai prince. »

Il a tenté un sourire et ça m'a fait encore plus de peine. Il a versé un peu de son cocktail dans mon verre vide pour porter un toast :

« À l'amitié franco-germanique, à mon p'tit Lou de Bavière : un ami personnel, à la chasse aux lézards, à l'Andalousie et à Marie-Antoinette : une femme extraordinaire. »

Et Dieu sait qu'il s'y connaissait, Théo, en extraordinaire.

Lorsque nous sommes rentrés à l'appartement, nous avons perçu de drôles de bruits. La porte des toilettes était ouverte. Alban, torse nu et respiration saccadée, trônait sur le couvercle rabattu de la tinette. Sous lui, de petits cris devenaient de plus en plus perceptibles.

Un jour, j'ai essayé de compter le nombre de plis que son ventre faisait lorsqu'il était assis. Mais c'est assez difficile. On a vite l'impression que ça bouge et ça file un mal de mer terrible. Alban, comment vous dire, c'est une sorte de sordide fusion de ses deux parents. Le poids de son père et les névroses de sa mère. N'allez pas croire que je n'accroche pas avec les parents d'Alban. Bien au contraire. Il faut juste éviter de les rencontrer. Parce que s'ils arrivent à vous coincer, même un type ultra-futé comme moi ne pourra échapper au repas qui suit. Le jour le plus long en pire. Une sorte de parcours du combattant. D'épopée. Pas facile de tenir la distance. C'est pas la mère pourtant. Elle, la greffe de la bouffe n'a jamais pris sur son organisme défraîchi. Plutôt du genre tringle à rideau, la mère d'Alban. Son sponsor officiel : les antidépresseurs en consommation industrielle. Le jour où elle va claquer, toutes les pharmacies seront en deuil. Le drame, c'est de passer un repas, un seul, avec Alban père et fils. À chaque bouchée, ils en ferment les yeux de plaisir. Y a même une prière avant le repas, pour bien vous montrer comme c'est important. Inutile d'espérer un soupçon de dialogue. Aucune écoute. Juste la bêtise en Technicolor. Comme si le gras arrivait jusqu'au cerveau. Pas la peine non plus d'essayer de sauver les meubles avec la maman : un junky de la Chapelle en pleine descente de crack serait bien plus alerte.

« Pourriez pas aller me chercher de quoi me sustenter dans la cuisine. Moi, j'ai pas la possibilité de bouger.

— Pourquoi ?

— Parce qu'il bouge encore.

— Quoi ?

— Parce que le chat de Carole bouge encore.

— …

— Ça fait plus d'une heure que je l'ai foutue là, cette petite raclure. Y commence à avoir du mal à respirer. Mais c'est pas encore la fin.

— Je ne suis pas sûr que l'assassinat du chat résoudra le problème, Alban.

— Exact, reprit Théo, je ne suis pas sûr non plus que ça la fasse revenir. »

Mais il ne semblait pas du même avis.

« Laisse. C'est une affaire entre le chat et moi.

— On n'a pas le droit de reprocher les mêmes choses à un chat qu'à un être humain.

— Bon sang, les gars ! Comme si j'avais commencé. C'est moi peut-être qui vomissais de jalousie sur son chemisier dès que je foutais les pieds chez elle. Hein ! Et qu'elle était folle de rage le lendemain matin. Tu crois que je vais oublier. Et se faire sauter dessus, toutes griffes dehors, dès qu'on commence à baiser. Tu crois que c'est agréable ? Que ça facilite l'épanouissement d'un couple ? Que c'est tous les "chats-chats" du monde qui réagissent pareil ! »

Théo était en train de me dire qu'Alban n'avait pas forcément tort, lorsqu'on se mit à tambouriner à la porte. « Gros porc, tu vas m'ouvrir. Je sais que tu es là. Ne touche pas à un seul cheveu de ce pauvre chat. »

Je me suis chargé de l'accueil.

« Salut Carole. Eh ! T'as une bien jolie robe.

— Ferme-la. Où est ce fils de pute ?

— Alban n'est pas un fils de pute, c'est juste une

fleur un peu grasse, sensible et fragile », rectifia Théo. Mais l'effet fut coupé par l'arrivée du chat sur les genoux de Carole. De soulagement et de rage, elle se mit à pleurer.

« Vous êtes complètement tarés dans cet appartement. » Étrangement, Carole n'était pas la première à faire ce genre de réflexion. Alban attendit qu'elle s'en aille pour réapparaître.

« Vous inquiétez pas, les enfants. Avant de le foutre dans les chiottes, je lui ai fait avaler un truc qui pourra difficilement le faire rester parmi les griffes des vivants. »

Quelques secondes après, il y eut un cri dans la cage d'escalier. Un cri énorme. Un refus de l'évidence. Comme le négatif d'une petite mort. J'ai pensé que maintenant, les possibilités pour Alban de reconquérir Carole devenaient terriblement restreintes.

Bon, ça ne sert à rien de vous mentir plus longtemps. Je n'habite pas qu'avec Théo et Alban. Il y a une autre personne aussi. Elle s'appelle Marion et on ne la voit que très rarement. Marion ne nous aime pas beaucoup. Elle nous méprise un peu, même. Si elle était au pouvoir, la nonchalance serait passible de la correctionnelle et des types comme nous déjà pendus haut et court avec les viscères livrés en place publique.

L'incident du chat nous avait menés tard dans la nuit et nous n'avions plus vraiment sommeil. On s'était finis dans la cuisine avec les cocktails de Théo et les vieilles histoires de cœur d'Alban. Sa favorite étant les détails de la première fois où il avait sodomisé Carole et qu'elle en avait pleuré de joie.

Marion s'est pointée pour faire chauffer son café du matin. C'était la seule d'entre nous qui travaillait. Son truc à elle, c'était la médecine. Essayer de retarder la mort des gens, la souffrance et cetera et cetera. Elle poursuivait son internat à la Salpêtrière. Elle avait déjà disséqué des cadavres et effectué des touchers rectaux. Une chouette fille, en somme. Son mec l'a retrouvée alors qu'Alban réexpliquait le jour où Carole lui avait reproché d'avoir mangé trop d'oignons.

« T'as une mauvaise haleine », qu'elle m'a fait avec sa petite mine dégoûtée. Là, j'ai senti que l'agonie prenait place. Parce que avec moi, pardon, mais elle aurait pu en bouffer dix mille oignons, Carole. Et même si son dernier, il lui avait pris l'idée de le finir avec une cuillère de pâté pour chat, eh bien, j'aurais été vachement heureux de l'embrasser quand même, Carole. Comme du bon pain. Comme la plus précieuse des princesses. Celle dont on rêve à dix ans. Parce qu'on crève d'amour à dix ans, quels que soient les parfums que l'on feint d'oublier plus tard. « Il est temps que tu ailles te coucher, je crois, Alban », a balancé Marion tandis que son boy offrait des yeux qui ressemblaient à deux grosses billes mexicaines. En traînant les pieds, le gros a fini par conclure, philosophe : « D'façon, on n'est jamais vraiment de taille contre l'indifférence. Quoi qu'on entreprenne. »

J'ai pas tardé non plus à réintégrer ma chambre. On a frappé peu après. C'était Marion toujours en peignoir. Elle ne parlait pas. Elle me regardait juste. J'aurais préfère l'inverse.

« Je plaide non capable, m'sieur le juge », ai-je murmuré.

Mais ça n'a pas provoqué l'hilarité générale.

« C'était quoi les bruits sordides de cette nuit, Simon ?

— Tu ne devrais pas parler ainsi des sons que fait ton nouveau mec lorsqu'il éjacule. C'est sacré, une éjaculation, Marion.

— S'il te plaît, raconte.

— Rien. C'est arrangé.

— Ce n'est pas une réponse.

— C'est ma réponse. »

Elle a allumé une cigarette et j'ai senti que ma ligne Maginot n'en avait plus pour très longtemps.

« Qu'est-ce que tu vas faire, aujourd'hui ?

— Dormir. Si je suis courageux, j'irai me raser dans l'après-midi, et peut-être même au cinéma.

— Tu arrives à t'épanouir, comme ça ?

— Est-ce que je te demande si ton copain qui doit trimer dans une banque ou dans l'export, il s'épanouit ?

— Il est secrétaire d'un attaché parlementaire.

— Parfait. J'espère que ce n'est qu'un début...

— C'est bien pratique d'être cynique, hein, Simon.

— ...

— Ça évite à jamais de savoir si oui ou non, on est vraiment un minable.

— Le minable va aller dormir, Marion. C'est encore la meilleure façon qu'il ait trouvée pour faire de beaux rêves.

— Tes rêves, t'as jamais eu les couilles de les réaliser, a grincé Marion.

— Exact, je n'ai jamais cherché à les réaliser. Juste à les refaire, la nuit d'après. »

Marion s'est tirée et j'ai entrouvert mon store. Alors j'ai fait la grimace. Il y avait du soleil. Avec un putain de ciel bleu imbu de lui-même et sûrement des conneries de bermudas partout. Fallait bien se résoudre à l'évidence. On s'acheminait doucement vers une sale journée.

J'ai émergé aux alentours de 17 heures, avec un léger mal de gorge sans doute causé par le trop-plein de cigarettes de la nuit d'avant. Dans la cuisine, Théo, peignoir Ralph Lauren bleu roi et chaussons en daim véritable, savourait une légère assiette de poireaux vinaigrette. Je me suis fait du thé accompagné d'un verre de rhum afin de réconforter ma pauvre gorge. Les deux grosses paluches d'Alban tentaient de soutenir sa tête, laquelle semblait définitivement écrasante.

« C'est carrément intolérable la manière dont Carole se comporte avec moi, s'est emporté Alban. Dire que je la laissais même me mettre des doigts dans le cul alors que je déteste ça. »

Théo ne put s'empêcher de reprendre au vol cette ultime remarque.

« Alban, comment peut-on détester ce geste suprême et délicieux ?

— Bon Dieu de merde, s'est énervé le gros, si la nature nous a offert une bite, c'est quand même bien pour la fourrer dans tous les vagins de toutes ces ordures de nanas.

— Alban, tu es exactement comme Marion. Tu manques d'imagination.

— Désolé, Théo. Mais je pige pas le rapport avec Marion, ai-je murmuré.

— Marion est vaginale. C'est l'évidence même.

— C'est-à-dire ?

— C'est-à-dire que le premier qui sera assez dingue d'elle au point de la pénétrer par la voie la plus intime, la plus sordide, la plus belle, la plus personnelle, le premier qui aura la sensibilité suffisante pour la désirer à ce point, eh bien, ce type-là, laissez-moi vous dire, mes très chers camarades, que je ne miserai pas beaucoup à la roulette d'un casino sur ses chances de survie.

— Après tout, je n'ai peut-être pas assez enculé Carole, a conclu Alban. C'est sans doute pour ça qu'elle m'a quitté. »

J'ai allumé une cigarette en songeant au petit trou de Marion. À ce que j'aurais pu faire avec. Et je dois bien avouer que cette représentation imaginaire n'était pas forcément désagréable.

On a chopé un taxi pour se diriger vers une soirée que donnait l'école d'Alban. Dire qu'Alban est étudiant serait travestir la vérité. Dire que son père est le principal actionnaire d'une école de commerce et qu'Alban y est inscrit est une définition beaucoup plus juste. J'ai commandé un rhum blanc afin d'éliminer ces microbes qui me menaçaient d'angine. J'aimais bien le bar de cette école. Dès qu'un pauvre type avait le malheur de vouloir nous faire payer quoi que ce soit, Alban le menaçait d'une expulsion immédiate. Juste à côté de l'école, la résidence étudiante, qui hébergeait les premières années, était une mine régénératrice. Ces petites choses féminines et commerciales paraissaient plus jeunes et plus attractives chaque année.

Les futurs cadres en tailleur et chignon de chez Arthur Andersen possédaient un indéniable avantage : vous prononciez une phrase dans un français convenable et vous passiez pour un génie de la littérature contemporaine. Elles se foutaient pas mal de votre conception du couple et de votre opinion sur le conflit israëlo-palestinien. Il suffisait d'avoir une belle gueule. De filer l'impression véritable d'être bourré de pognon et d'être serviable lors des premières phrases d'approche. Point final. Les soirées de cette école, c'étaient des fêtes sans cuisine. Pour séduire, il fallait bouger son corps en dansant. Je trouvais cela plus valable que dans les dîners. Lorsqu'on balance des bandes-annonces complètement mensongères de ce que peut attendre la nana si elle se décide à vous acquérir. Sur la piste, j'ai vite repéré une petite qui semblait tout droit sortie d'un reportage du *Figaro Magazine* sur les familles nombreuses en vacances à l'île de Ré.

« Que faites-vous, mademoiselle, dimanche, après l'église ? »

La petite gamine brune pouffa bruyamment.

« La messe a lieu le samedi, maintenant, jeune homme. »

Son haleine indiquait une consommation de whisky à haute dose. Je décidai d'enfoncer le clou.

« Désirez-vous boire quelque chose ?

— Champagne ! » répondit-elle, comme dans un mauvais film porno.

Je me suis dirigé vers le comptoir et ce n'était pas le même type que tout à l'heure. Je me suis tout de même rapproché de son oreille. Il m'a regardé d'un air méfiant. « Ça fera 500 francs », m'a déclaré cet abruti. Je l'ai assassiné des yeux pendant quinze bonnes secondes. Et j'ai repris possession de sa putain d'oreille de futur banquier.

« Écoute bien, petit cadre en management, ce que j'ai à te dire : en aucun cas je ne te le répéterai – je cherchais Alban des yeux mais ne le trouvais pas –, si j'ai daigné venir à cette petite sauterie minable, c'est que je suis, pour ainsi dire, le frère d'Alban. Disons même que j'aurais pu le mettre au monde. Si tu tiens un tant soit peu à ta petite place d'étudiant dans cette école miteuse, cesse de martyriser ma pauvre gorge en me faisant parler et sers-moi cette SALOPERIE de champagne. »

La graine de vendeur demanda conseil à son acolyte. Et me fila enfin une bouteille. J'ai chopé une ultime fois son oreille mercantile.

« Vous m'avez fait perdre un temps précieux, toi et ton oreille crasseuse. Je ne suis pas sûr de pouvoir, un jour vous le pardonner. Donne-moi ton nom.

— Oh, non. S'il vous plaît.

— S'il vous plaît, monsieur, rétorquai-je, soudain impérial.

— S'il vous plaît, monsieur. »

Je lui ai filé des petites claques affectueuses sur la joue à répétition.

« C'est mieux comme ça.

— Oui, monsieur.

— Donne-moi juste ton prénom.

— Henri.

— Henri. Je te méprise. »

La fille à papa se nommait Christine et c'était l'une de ses premières cuites. Je l'ai donc servie autant que j'ai pu et on a fini par se siffler la bouteille. À la fin de la dernière coupe, elle s'est excusée pour aller pisser. J'ai insisté pour pouvoir l'accompagner. Ça m'aurait révolté qu'un crétin se la tire au passage, alors que j'avais fait tout le boulot. Je commençais à être sacrément défoncé. Et c'est incroyable combien on peut vite tomber amoureux des gens dans ces moments-là. On serait prêt à épouser toutes les trente secondes la pire des connasses.

Il y avait un immense escalier pour atteindre les toilettes. Je le connaissais mieux que quiconque étant donné que je m'étais déjà tapé chacune des marches à quatre pattes. J'ai enroulé un des bras de Christine autour de mon épaule et nous avons commencé l'ascension. Avec la main libre qui me restait, j'ai balancé ma cigarette pour placer mes doigts entre sa jupe et sa peau. Je suis allé jusqu'à la naissance de ses fesses et j'ai pensé que c'était humide parce qu'elle avait beaucoup dansé. Elle est rentrée dans les chiottes et je lui ai dit de ne pas fermer le verrou au cas où quelque chose de grave lui arriverait. Je l'ai attendue près des lavabos et à mes côtés, une fille très moche se lavait les mains.

« Qu'est-ce que vous voulez faire plus tard, mademoiselle ?

— Je ne sais pas. J'hésite encore.

— Entre quoi et quoi ?

— Entre bourrer des petites connes pour mieux les sauter après, ou tenter, tant bien que mal, d'essayer d'être heureuse.

— Rien ne vous empêche de faire les deux, mademoiselle. »

Coupant court à la conversation devenue sarcastique, je suis rentré dans les toilettes où se trouvait Christine. La pauvre était toujours sur le trône, mais avec la tête baissée, les bras ballants et sans doute dans un sale état général.

Elle portait un serre-tête en velours rouge comme dans *Les Malheurs de Sophie*. J'ai bloqué le verrou et me suis mis à bander comme un forcené. Je l'ai soulevée et la miss a tenté de me baragouiner un truc que je n'ai pas voulu entendre. Je l'ai retournée et lui ai dit de se cramponner à la chasse d'eau. J'ai retiré sa culotte Petit Bateau et l'ai foutue dans ma poche. Elle avait un petit cul blanc minuscule et magnifique. Un rêve de pédophile. Elle était tellement trempée que je suis rentré en elle sans même m'en apercevoir. J'écartais au maximum ses fesses pour apercevoir son petit trou. Je repensais au monologue de Théo cet après-midi. J'ai léché goulûment le petit orifice malgré les plaintes de la gamine. Puis je lui ai mis un doigt. Comme ça. Pour voir. Profondément. Tout en continuant à la limer et en ne tenant pas compte de ses réprimandes. J'ai continué à la baiser encore quelques minutes. Jusqu'à ce qu'elle se mette à dégueuler.

On a fini dans sa chambre d'étudiante. Après avoir éjaculé sur ses seins miniatures, je me suis endormi comme un cadavre.

La première chose que j'ai vue en me réveillant, c'est sa gueule. Et l'odeur insupportable du déodorant qu'elle venait de se mettre. Elle a balancé un disque de Super-tramp sur sa platine et a préparé du café. Tout en me tournant le dos, elle a articulé cette phrase définitive :

« J'adore cette chanson. Maintenant, ce sera la nôtre. » Combien de fois, déjà, dans sa courte existence, avait-elle annoncé cela à un type ? Combien de fois le dirait-elle encore ?

On devrait se souvenir de ça une fois pour toutes. Avoir cette pensée dans la tronche vingt-quatre heures sur vingt-quatre. Lorsqu'on prend une fille en levrette, c'est rarement la première fois qu'elle se met à quatre pattes pour quelqu'un. Quand cette salope vous dit : « Viens », qu'elle vous conjure enfin de jouir en elle, elle a déjà susurré *précisément* ces mots-là à d'autres. On devrait en faire un postulat, de ce truc. Une putain de vérité première.

Je me suis barré de chez la petite Christine comme un voleur. J'avais envie de dialogue, d'échange, de confiance, d'humanité. J'avais envie enfin d'aimer une fille pour de bonnes raisons. D'être avec elle. Juste avec elle. J'avais envie de prendre un café avec Marion. Juste un. Histoire d'être un peu moins seul.

Mais elle était déjà partie lorsque je suis arrivé. Je me suis allongé sur mon lit avec le cœur gros. En me jurant que c'était la dernière fois que je jouais au con. En me jurant cela. Sans trop y croire moi-même.

*

Je suis toujours pas mal embêté quand il s'agit de parler de Marion. Ce sont des tas de sentiments contradictoires qui m'envahissent. Imaginez une histoire à l'envers. Une histoire qui se termine sans avoir jamais commencé. Certes, ce que je raconte n'est pas très compréhensible. Disons que mes deux camarades et moi adorons la montagne. Que nous y sommes chaque hiver, dans un village paumé au cœur de la Savoie. Dans le chalet de Théo. À cause du contraste entre le froid des pistes et la chaleur des vins chauds. Tout est dans le contraste. Toujours. Pour une fois, les Finlandais ont vu juste. Passer du sauna pour se rouler dans la neige. Voilà des gens tristes qui savent goûter à l'existence.

C'est là-bas qu'un soir, j'ai rencontré Marion. Pendant qu'Alban et Théo étaient à l'extérieur en train de dérober la luge d'un gamin, je l'observais dans un café d'altitude. Elle était seule. Avec son joli visage, un gros anorak et les joues rosies par la neige. Le même soir, j'ai réalisé qu'au bout du compte, la grâce était trop remuante pour tenir dans une œuvre. Qu'elle se cachait plutôt dans la façon dont une jeune inconnue pouvait porter un verre d'eau à ses lèvres. Nous avions parlé pendant de longues heures. De tout sauf de nous. Au petit matin, je l'avais raccompagnée jusqu'à l'unique croisement du village. On s'était attardés encore quelques minutes. Histoire de voler un peu de temps avant que tout passe. À s'envoyer des mots simples comme les caresses d'une sage-femme. À s'effleurer les visages pour être bien sûrs que l'on existe mutuellement.

Le lendemain, Marion avait sympathisé avec mes deux amis. Rien, déjà, n'était plus pareil. Elle n'avait plus la grâce d'une passante. Juste le charme prévisible de quelqu'un que l'on commence à connaître. Marion était fiancée sans être forcément très fidèle. Mais elle avait besoin d'une aventure stable. Besoin d'une épaule solide les jours de déprime et les soirs de Saint-Valentin. Bien que l'on n'ait pas encore vraiment fait connaissance, vous devez savoir que l'aspect de mon épaule est plus proche de celle d'un tuberculeux que de celle d'un *Bodyguard*. Chat écorché, sandwich SNCF. «Frêle» qu'on appelle ça. Je lui avais tout de même proposé, à la fin des vacances et à défaut de mon épaule, la chambre inoccupée de notre appartement. Comme si j'avais joué au loto. Elle habitait maintenant chez nous depuis six mois. Elle était locataire. C'était devenu une fille presque comme les autres. Je n'ai jamais retrouvé l'inconnue de cette nuit-là. La Marion des premiers instants avait disparu. Emportant avec elle la grâce d'une inconnue qui porte un verre d'eau à ses lèvres.

Je restais pourtant fidèle à cette précieuse nuit

ainsi qu'à ce croisement. Certains respectent les églises. Moi, c'est devant l'éphémère que je m'agenouille.

*

Cherchez pas plus loin. Je suis un menteur. Un jour, fils de grande famille, l'autre, fils de pute, le surlendemain pauvre bougre orphelin et banlieusard. Je m'amuse. Je file un peu de couleur rouge sur les joues de la vérité. Elle m'est rarement reconnaissante, d'ailleurs, cette petite salope. Faut dire que je lui mène la vie dure, aussi.

Faut pas se gourer non plus. Je ne me sens pas plus glorieux pour autant. Je ne suis qu'un opportuniste des mots. Un pauvre type. Au passé trafiqué, au présent incertain et au futur improbable. Condamné à la brièveté. À la construction toujours proche du château de cartes.

En plus, j'ai toujours eu un gros problème avec les histoires d'amour. Une *love story*, je vous la mène dare-dare. En vingt-quatre heures chrono. Je suis l'éjaculateur précoce des histoires d'amour. J'ai besoin d'à peine une journée pour vivre les premiers regards, le milieu et la déchéance. Tout cela en une journée. Et service compris. Lorsqu'une fille me demande mon prénom, je l'imagine déjà dans l'attente de notre futur môme.

Il suffit que je fasse une promesse pour avoir l'impression de l'avoir déjà réalisée. Les mauvaises langues diront qu'une telle attitude doit me revenir beaucoup moins cher. Mais j'ai peur, hélas, que ce ne soit pas si simple.

*

Préparez les abris thermonucléaires, réactualisez votre testament, prévenez les simples d'esprit que le royaume des cieux, c'est pour bientôt : le prince Théo s'est emparé du volant. Je n'ai pas trop eu le choix, en fait. Grand un : c'est le seul à avoir son permis. Grand deux : j'ai jamais été foutu de lui refuser quoi que ce soit, à Théo.

Alban somnole à l'arrière du cercueil roulant emprunté à Marion et n'a pas encore effectué le rapprochement entre la conduite théophilienne et celle de la bonne sœur dans *Le Gendarme de Saint-Tropez*.

Dans son nouveau rôle de danger public n°1, Théo respire la suprême élégance. Costume blanc Armani, cravate argentée et cheveux plus brillants que jamais.

C'est Alban qui a fini par s'inquiéter :

« Tu frôlerais pas d'un peu trop près les autres bagnoles, par hasard ?

— C'est un effet d'optique, grand. En fait, il conduit hyper bien. »

Théo, on l'accuse d'un génocide. Moi, je te le défends, la conscience tranquille.

La fête avait lieu dans une vieille salle en pierre aux incertaines arcades. On imaginait la tonne de rites sataniques. Avec curés éventrés et jeunes prépubères déflorés à la chaîne. C'était limpide.

« Cette soirée part avec un a priori favorable », ai-je murmuré à mes deux compagnons.

Je n'ai attendu que quelques verres pour filer dans la cuisine. Le soir venu, il ne faut jamais sous-estimer les cuisines. Une fête ne prend son sexe qu'avec les choses inracontables qui surgissent de la fameuse pièce à beurre et à casseroles. Alban, déjà à l'intérieur du lieu mythique, avait le bout de la langue sorti du côté gauche, comme chaque fois qu'il effectuait le roulage d'un joint. Dans un coin, Théo expliquait à un joli type les ravages de l'éjaculation précoce :

« Quand tu sens que ça arrive trop tôt, respire profondément par le ventre. Et pense aux hémorroïdes des vieux, à une nage effectuée dans une immense piscine de vomi, à la reine mère, à l'odeur de sueurs âcres, le soir, qui se dégage de certains wagons de métro », puis, pensif : « Non, oublie la sueur. C'est pas une bonne idée. » Et mon Théo de conclure d'un sourire empirique : « Tu comprends, ça peut être très excitant, parfois, la sueur. »

À proximité du micro-ondes, deux filles semblaient s'échanger leurs photos de vacances. Je me suis approché de l'une d'elles sans dire un mot. Comme si j'allais l'embrasser. À chaque pas qui me rapprochait de son visage, c'était un frisson qui s'accentuait. Je ne quittais pas son regard. Ses yeux à la fois surpris, amusés, apeurés. Au lieu de déposer un baiser sur ses lèvres, je lui ai murmuré à l'oreille, comme pour un secret : « Puis-je jeter un œil sur ces photos ? »

Ce n'était pas l'idée du siècle et je me suis vite retrouvé avec un paquet de cent quatre-vingts photos toutes plus barbantes les unes que les autres. Crétins et crétines devant un Hard-Rock Café quelconque. Crétins, crétines en pleine spaghetti party. Crétins, crétines partout et à toutes les sauces.

Je m'apprêtais donc à tout lui rendre, y compris mon jugement sur les albums de vacances, mais stoppais net à la vue de la dernière photo. C'était celle de mon interlocutrice silencieuse, allongée, intégralement nue sur un petit lit d'enfant.

J'ai pris un temps délicieusement interminable

à faire avec mes yeux un lent va-et-vient entre la photo et la jeune fille. Elle s'est vite aperçue de mon manège et ne m'a plus lâché du regard. Alban était en train d'expliquer à l'assemblée le jour où il avait léché Carole alors qu'elle venait de pisser et l'ambiance devenait petit à petit comme je les aimais.

« Je n'ai rien contre votre tailleur, mademoiselle, mais je préférais celui-ci, dis-je en montrant la photographie.

— C'est vrai qu'il était plus charnel.

— Je vous l'accorde.

— Oh, mais où avais-je la tête ? Je l'ai emmené avec moi. Regardez. »

Autant vous dire que la cuisine a soudain pris quelques degrés Celsius supplémentaires. Alban a foiré son joint. Théo a soufflé : « Sainte Marie, elles nous auront fait chier jusqu'au bout, ces nanas. »

Et tous regardaient cette jeune fille qui, après avoir ôté sa veste, déboutonné son bustier, retirait avec une infinie lenteur son soutien-gorge.

C'est toujours agréable quand la joie se pointe en embuscade. J'ai attendu qu'elle finisse. Puis je l'ai regardée avec minutie. Ce n'est pas tous les jours que l'on rencontre des gens de votre famille. Elle était comme quiconque aurait accompli ce même geste : tremblante, fragile et mal à l'aise. Il n'y avait que ses yeux qui tenaient encore le coup et ne quittaient toujours pas les miens. Le trac lui donnait des plaques rouges sur la poitrine et cela la rendait encore plus désirable. J'ai fermé les yeux et me suis mis à respirer profondément.

« C'est très beau ce que vous venez de faire, mademoiselle.

— Merci.

— Beaucoup plus que vous ne l'imaginez.

— On ne fait pas assez plaisir aux gens alors que c'est si facile parfois.

— Je doute, un jour, d'être capable de faire un geste qui vous en procure autant.

— Il y a bien une chose à laquelle je songe souvent ces jours-ci. »

J'ai entendu des bruits de pas en direction de la cuisine et Alban, pour une fois vif comme l'éclair, a pris une chaise pour bloquer la porte avec. L'avantage, avec ce vieux frangin de galère, c'est que dans les moments difficiles, le langage n'est pas indispensable pour nous comprendre.

« Je suis à vos ordres.

— Vous ne croyez pas si bien dire. »

Toutes les autres discussions s'étaient interrompues. J'avais l'impression d'entendre Théo avaler sa salive. Alban, bras croisés à l'entrée de la cuisine, aidait la chaise à maintenir la porte avec le sérieux d'un videur de club privé.

« Que puis-je pour vous ?

— J'aimerais que tu rampes jusqu'à moi, que tu retires mes chaussures et que tu m'embrasses les pieds. Mais le plus profondément possible, avec toute ta bouche, ta langue et ta salive. En me disant que je suis ta chose, ton esclave. Enfin, que tu t'en ailles juste après. Et sans un mot. »

J'ai pensé que j'avais vraiment bien fait de venir, puis, après avoir jeté un regard sur Alban qui expliquait à sa voisine qu'un jour Carole lui avait fait le même coup, je me suis exécuté du mieux possible.

Le jour où les murs des cuisines nous feront leurs confidences, le jour où les toiles cirées, les poêles et les Frigidaire rédigeront leurs Mémoires, il ne restera plus aux *Cent vingt journées de Sodome* qu'à aller jouer aux billes.

*

Que l'on arrête de croire que je cherche à me justifier. Sachez juste qu'il m'était difficile d'imaginer qu'un jour, un mensonge minuscule puisse prendre un tel visage.

Contrairement à ma vie nocturne, les rythmes qui conduisent mes après-midi sont immuables. Je déjeune d'un thé et de quelques madeleines. Je prends une douche et me rase après, afin que l'eau chaude distillée par la poire ait assoupli ma barbe. Puis c'est la descente chez le libraire : Jean-Marc. Je ne prends jamais le *Libé* du dessus, mais le deuxième ou le troisième qui paraissent toujours bien plus neufs.

Ce matin-là, notre ancêtre et voisine Mme Papillon m'avait chopé dans la cage d'escalier. Elle avait une voix de ténor :

« Ah, mon petit Simon, vous qui êtes toujours si serviable… Auriez-vous l'amabilité d'aller me faire ces quelques photocopies ?

— Avec plaisir, madame. »

Mais avec la Papillon, on ne s'en tirait que très rarement à si bon compte. Elle vous empoignait toujours le bras comme pour mieux se rattraper à l'existence.

« Dites, mon petit Simon, ce n'est pas que j'écoute aux portes, n'est-ce pas, vous savez que ce n'est guère dans mes habitudes, mais j'ai cru entendre une petite dispute entre M. Alban et sa compagne.

— Ils se sont même séparés.

— Oнннн, et pourquoi donc ?

— Carole le trouvait trop maigre.

— Mon Dieu, quel dommage. Et que vont-ils faire de leur petit minou ?

— C'est arrangé pour le petit minou. Ça sera une semaine chez l'un, un week-end chez l'autre. »

À première vue, elles paraissaient bien inoffensives, les putains de photocopies de cette chère Mme Papillon.

Jean-Marc est un homme qui m'a beaucoup appris. Il n'est pas seulement libraire. C'est aussi un écrivain moderne adepte du nouveau roman. Un de ses livres a même été publié chez un petit éditeur, lequel, plus tard, a fait faillite. Les bouquins qui sont là pour vous raconter des histoires, Jean-Marc les a en horreur. C'est un esthète du mot. L'histoire de ses livres tient dans son style. Il n'aime pas trop non plus que l'on se moque des intellectuels. Il trouve cela trop facile. Limite populiste. Malgré tout, je pense que Jean-Marc éprouvait de la tendresse à mon égard.

Un soir, il m'avait emmené à l'inauguration du Salon du livre. Le pauvre avait passé plus d'une heure à faire semblant de s'intéresser à une sale mytho, sous prétexte que la nana l'alléchait avec la possibilité d'une publication future. Jean-Marc avait une femme et un enfant. L'équilibre entre son art et sa vie de famille était des plus fragiles. Il était très discret là-dessus, mais définitivement amoureux du cadeau « familial » que lui avait offert la réalité. Jean-Marc, c'était l'inverse de Lamartine. C'était un romantique de l'ombre. Vivant de silence et de sobriété. Un amoureux plus valable, plus profond que ses détracteurs lyriques. Un type qui faisait plus attention à sa femme qu'à lui-même, mais qui refusait d'en faire étalage. Un type pudique, en somme. Qui avait du style, dans son existence comme dans ses écrits.

Sur le coup, je n'ai pas fait gaffe en ouvrant la photocopieuse. J'ai pris la pièce d'identité et l'ai filée à Jean-Marc :

« Tiens, Jean-Marc, encore un client distrait. »

Il a jeté un œil poli sur la carte.

« Si tous mes clients avaient cette gueule, je finirais mes nuits au Queen ! »

Ça a fait TILT dans ma caboche de libertin et je l'ai rejoint derrière le comptoir. On était en présence d'un visage de toute première classe. Marie.

« Donne, Jean-Marc, c'est sur mon chemin. J'irai la lui remettre.

— L'autre bout de Paris, c'est sur ton chemin.

— Avec un regard comme celui-là, ouais, ça le devient.

— Dis-lui que je la salue bien », a rigolé Jean-Marc.

Il m'a passé la carte d'identité et j'ai pu commencer, sans aucun style et en sifflotant, la connerie du siècle.

C'est un détail de quelques jours. Je voulais voir Marie le soir même. Je le jure. Mais j'ai croisé Théo dans la cuisine, le regard vide et le front vissé sur le carreau de la vitre embuée. Les traits de son visage semblaient avoir pris l'apéritif dans du 10 000 volts.

« Tu devrais éviter les douanes et les aéroports pour ce soir, l'ami », ai-je déconné.

Mais l'ami en question ne répondait plus.

« Eh ! Le nouveau cobaye des amphétamines, on peut savoir ce qui t'arrive ?

— Rien, j'ai juste rencontré un mec hier. C'est tout.

— Ça te fait plutôt sourire, d'habitude.

— Pas là.

— Je vois.

— Simon. Par pitié. Ne te moque pas. Je suis amoureux.

— D'accord, je ne me moque pas. Mais je ne peux pas faire grand-chose non plus. Même l'US Air Force ne peut pas grand-chose pour ce genre de truc.

— Tu ne peux pas imaginer à quel point c'était bon. Il s'est endormi la tête contre mon épaule. Moi, la vieille routière, j'en ai ronronné toute la nuit. Je veux le revoir. Aide-moi, je refuse d'y aller tout seul.

— Je t'accompagne.

— Il nous faut la voiture de Marion.

— Pourquoi, il habite en banlieue ?

— Presque.

— Versailles ?

— Un peu plus loin.

— Rambouillet ?

— Juste à côté.

— ...

— Nantes. Il habite Nantes. »

*

Il était 22 heures et on a tous collé nos oreilles au mur de la chambre de Marion. Il existait deux solutions. La première était qu'elle dorme déjà, la seconde que son mec la baise encore. Alban a légèrement gratté à la porte. On a perçu un petit cri étouffé suivi d'une phrase beaucoup plus mauvaise :

« Foutez-nous la paix, merde.

— Elle a dit "nous", a cru bon de préciser Alban.

— Elle repasse toujours par la salle de bains après les coïts hétéros », a renchéri Théo.

Je me suis chargé de la première attaque. Tout me semblait facile ce soir-là, aérien.

Je n'ai pas allumé dans la salle de bains. Vous connaissez comme moi l'agressivité lumineuse inqualifiable de ces pièces. Afin de ne pas manquer son passage, je me suis installé dans le creux du bidet. J'ai foutu la paix au robinet de la baignoire qui n'arrêtait pas de goutter. C'était un peu de présence au cas où une dose d'angoisse m'envahirait. Un fond sonore. Comme discuter avec des cons dans l'attente d'un résultat important.

C'est lorsque j'ai entendu la porte de sa chambre s'ouvrir que j'ai commencé à me demander ce que je foutais là. Si ce n'était pas, en fait, une fausse bonne idée. Au moment où elle a posé sa main sur l'interrupteur, je me suis redressé :

« N'allume pas, s'il te plaît. »

Elle n'a pas sursauté. Juste froidement articulé :

« Tire-toi, Simon. »

Je me suis approché d'elle en tentant un mignon sourire breveté. Mes yeux s'étaient habitués à l'obscurité et je la devinais très bien, Marion. Sa peau d'une extrême blancheur et ses cheveux frisés bruns. Elle portait un long T-shirt. Le sperme de son pote devait commencer à couler le long de ses cuisses. J'ai donc préféré la faire asseoir sur le rebord de la baignoire :

« Marion, peux-tu nous rejoindre dans la cuisine après tes ablutions ? C'est capital. »

Elle a voulu répondre, mais je me doutais que ça n'allait pas être très constructif. Alors j'ai placé deux doigts sur ses lèvres. Comme pour une paix provisoire.

« Tu m'engueuleras tout à l'heure. Dans la cuisine », lui ai-je murmuré.

La pénombre aidant l'audace, j'ai placé ma main sur son front pour savoir s'il était chaud, si elle avait transpiré.

Encore aujourd'hui, lorsque je repense à ce visage brûlant, je suis incapable de dire si c'était le résultat de notre rencontre nocturne ou de ce qu'elle avait fait juste avant.

Un peu des deux, peut-être.

On s'activait sérieux dans la cuisine. Une carte routière était dépliée sur la table. Alban et Théo se chamaillaient pour l'itinéraire le plus rapide. Je leur ai annoncé que Marion arrivait bientôt et que l'entrée en matière allait être déterminante.

Aucun d'entre nous n'était euphorique à l'idée d'être celui qui lui détaillerait l'étrange périple. Alban a proposé de tirer ça à la courte paille ou *à pouf-pouf ce sera toi*, tandis que Théo, les yeux fermés et les doigts croisés, se balançait sur sa chaise d'avant en arrière, en ne cessant de répéter le prénom de son nouvel amant : « Thierry, Thierry, Thierry, Thierry… »

« Eh bien, Théo. Que puis-je pour toi et pour ce Thierry ? »

On ne l'avait pas entendue se joindre à nous et ça nous a laissés perplexes, mais pas silencieux :

« Nous prêter la bagnole.

— Hors de question.

— Pourquoi ? demanda Théo.

— Parce que tu es le seul à avoir ton permis.

— Et alors ?

— Et alors tu conduis comme un chauffeur du Ritz.

— …

« — C'est pour quand ?

— Ce soir. Tout de suite.

— C'est pour où ?

— Nantes. »

Elle s'est emparée de mon poignet gauche pour jeter un œil désinvolte sur ma montre.

« Je vous accompagne. Je suis prête dans dix minutes », a-t-elle lâché avant de s'éclipser.

Théo s'est mis à bondir tel un infantile cabri sur la gazinière en déclarant que cette enfant était bénie des dieux. « C'est juste une fille d'humeur changeante », rectifia Alban. Je me suis souvenu que dans le langage courant, *fille d'humeur changeante* signifiait chieuse. Chieuse. Vous savez. Ces filles dont on tombe amoureux.

Avant de verrouiller l'appartement, je me suis accordé un petit plaisir en allant voir si le boy de Marion était toujours dans les bras de Morphée. Sa chère tête blonde dépassait à peine de la couette. Il souriait en dormant. J'ai revu ma grand-mère qui disait toujours dormir du *sommeil du juste*, et j'ai pensé que ce devait être ça.

Marion était déjà dans la voiture. Elle préparait les rétroviseurs, avançait et reculait son siège. À l'arrière, j'apercevais Théo qui ne cessait de lui faire de grands gestes dithyrambiques.

Je savourais la fin de ma cigarette. En plein air. Je ne savais absolument pas quelle tronche allait avoir cette soirée et ça me plaisait terriblement. Alban m'a rejoint avec un carton plein de bouffe et la tonne de bière.

« Tu crois qu'on rend vraiment service à Théo, murmura l'immonde.

— Je sais pas. Disons qu'on lui fait plaisir.

— Mouais, on lui offre du plaisir pendant trois jours et il va en baver pendant trois mois.

— C'est pas faux.

— Bah alors?

— Alors quoi.

— Qu'est-ce qu'on fout là? À toujours rentrer dans ses folies.

— Je sais pas. Peut-être qu'on en profite un peu. Par procuration. »

Alban s'est mis à renifler.

« Putain, c'est pas sain tout ça. »

C'était toujours étonnant d'écouter Alban différencier ce qui était sain de ce qui ne l'était pas.

Je me suis installé à la place du mort. La première heure fut assez silencieuse. Juste des petits chipotages sur les FM que chacun voulait différentes. Je trouvais que Marion conduisait pas mal pour une étudiante en médecine.

« Au fait, comment se passent tes études, Marion? Les dissections, la biochimie, les molécules d'ADN, les organes génitaux, ça avance?

— Depuis quand tu t'intéresses à mes études, Simon?

— Le travail des autres m'a toujours intéressé. »

Ça l'a bien fait marrer.

« Tu ne sais même pas ce que ça veut dire : TRAVAIL, Simon.

— Tu rigoles. Avec Alban, on a même fait un stage d'une semaine dans la boîte de son père.

— Harassant!

— Pas grave. On est des types hyper-courageux, Alban et moi.

— Tu ne me demandes pas pour Antoine.

— Pour qui?

— Pour Antoine. Mon copain.

— Désolé. Je ne savais pas qu'il s'appelait Antoine. Je savais que c'était un prénom à la con, mais je ne savais pas que c'était Antoine.

— Ne sois pas méchant.

— Je ne le suis pas. D'ailleurs, un type qui bande pour toi ne peut être totalement méprisable, Marion. »

Thierry était barman dans un night-club dont on avait l'adresse. Marion et Alban sont restés dans la bagnole et j'y suis allé avec Théo. Je me suis laissé fouiller très poliment par le gorille de l'entrée. Je suis, quoi qu'il arrive, toujours très gentil avec ces types-là. La reconnaissance du muscle, sans doute. Théo s'est faufilé jusqu'au comptoir telle une anguille sous ecstasy. J'en ai profité pour tisser un début de relation avec la nana des vestiaires.

« Comment me trouvez-vous physiquement, mademoiselle ?

— Barre-toi, connard. C'est pas un bar à putes, ici. »

Il faut arrêter de croire qu'il n'y a qu'à Paris que les gens sont désagréables.

Un peu plus tard, Marion a vite viré furax :

« Tu serais pas en train de m'expliquer que cet enculé de Théo nous laisse en plan.

— C'est un peu sommaire comme résumé. Mais c'est pas faux non plus.

— Qu'est-ce qu'il t'a dit EXACTEMENT ? »

On était à l'extérieur de la voiture et la nuit commençait à être glaciale. J'ai piqué une bière dans le tweed d'Alban pour me donner du courage.

« Il m'a dit que Thierry l'invitait deux jours chez lui et que la vie était une invention merveilleuse.

— ...

— Il m'a fait promettre aussi d'être prudent sur la route du retour. »

Elle m'a laissé le volant jusqu'à Saint-Malo malgré mon absence de permis de conduire. Elle ouvrait un œil par intermittence pour me demander si tout allait bien. Je tâchais de la rassurer du mieux possible. Je pensais à cette connerie de chanson d'Yves Duteil. Celle où il est avec sa femme, la nuit, sur l'autoroute et qu'à chaque virage, la tête de sa belle bascule doucement vers son épaule. J'ai aperçu la mer à l'heure où Philippe Meyer commence sa chronique. Je suis sorti le premier, rejoint par Marion.

Nous avons partagé une cigarette dans la fraîcheur de l'aube. Et nous sommes allés prendre un petit déjeuner tandis qu'Alban roupillait encore.

On a parlé de choses et d'autres. De ma difficulté à vivre en couple et de mon impossibilité à baiser la même nana tous les soirs. Enfin, de cette incroyable nuit où nous nous étions rencontrés à la montagne. Alors, nous y avions cru l'espace d'un soir étrange. Avec un baiser échangé au petit matin, en tremblotant, du bout des lèvres, comme une naissance. Une naissance qui n'avait donné sur rien. Une naissance avortée.

Plus tard, nous nous sommes baladés, tous les trois, sur la plage. Et Alban est parti à la recherche de coquillages exotiques en tentant d'imiter le cri des mouettes.

Je me trouvais un peu plus en retrait sur la digue. Avec le vent du large qui faisait décoller mes écharpes et le visage de Marion enfoui dans le creux de mon cou.

2

Pendant qu'il est trop tard

La porte s'est ouverte après la première sonnerie. Elle avait le visage d'une morte. Le visage d'une
dame qui vient de se démaquiller. Pas vieille mais
fanée. Avec des yeux rougis et des cernes profonds.
Son haleine puait le chagrin. Elle serrait de façon
frénétique un pauvre mouchoir blanc dans sa main
gauche. Je n'ai pas eu le temps de finir ma phrase.
J'ai juste prononcé le nom de Marie et elle a fondu
en larmes dans mes bras. Son corps était humide
et empestait la transpiration nerveuse. Sa fille était
dans un coma profond à cause d'une voiture qui
venait de la renverser.

J'aurais voulu me tirer au plus vite. Ne pas en
savoir plus. Mais cette chose, ce piège à malheur,
n'a pu s'empêcher de balancer cette phrase :

« Marie venait de faire une déclaration pour ses
papiers d'identité qu'elle avait perdus. C'est arrivé
en sortant du commissariat. »

Ce n'est jamais très agréable comme sensation,
lorsqu'on vous aspire le ventre avec une immense
seringue.

Je me suis retrouvé dans un salon d'ancêtre avec

une saloperie d'horloge et des napperons partout. J'avais capturé une déjection nasale et j'essayais tant bien que mal de la coller sur l'envers de l'accoudoir en skaï. L'autre me faisait face et n'arrêtait pas de se moucher.

J'avais l'impression que la carte d'identité qui se trouvait dans la poche arrière de mon jean était devenue incandescente. La sensation d'être assis sur de la braise. La pièce était truffée de photos de Marie et de son petit frère. Sur plusieurs, elle était à cheval. Sur d'autres, avec des médailles ou en plein saut d'obstacles.

« Je ne me souviens pas de vous avoir vu parmi les camarades de Marie. »

J'ai tenté de la rassurer en prenant la voix la plus grave que j'avais en magasin.

« C'est assez logique, madame. J'habite Genève et je ne viens à Paris que très rarement.

— Vous avez rencontré Marie…

— Lors d'un concours équestre. »

Ses yeux se mirent à jouer les stroboscopes. Rien n'allait plus. J'avais mon âme sur le rouge d'un tapis vert. Lorsque la roulette hésite encore avant l'annonce du croupier.

« Stéphane. Bon sang. Mais oui. C'est vous, Stéphane.

— Je suis très touché, malgré ces terribles circonstances, de constater que Marie vous a parlé de moi. »

Elle me fit la moue boudeuse d'une vieille à qui on ne la faisait pas.

« Voyons, Stéphane. Vous êtes le seul qu'elle ait jamais aimé.

— Merci, madame.

— Pourquoi n'être jamais venu nous voir ? Pour-

quoi l'avoir laissée sans nouvelles pendant si longtemps ?

— Je ne sais pas. La peur de m'engager. De la faire
souffrir. »

Elle s'est remise à pleurer de plus belle.

« Moi qui avais tellement envie de vous rencontrer. »

Je me suis demandé ce qu'un gentleman comme
Stéphane aurait bien pu faire dans un moment
pareil et j'ai décidé de la prendre dans mes bras.

« Pleurez, madame. Pleurez autant que vous vou-
drez.

— Appelez-moi Madeleine.

— Pleurez, Madeleine. »

Le wagon de métro qui me ramena à l'appartement était bondé. Je tâchais d'éviter le regard de
tous ces gens. J'avais la trouille que l'un d'eux ne se
lève et ne vienne me traiter d'assassin.

*

Une fumée noire s'échappait de la salle de bains.
Alban était en train de faire un feu de détresse dans
le lavabo avec les lettres de Carole. Je ne pouvais
pas lui en vouloir. J'avais eu, moi aussi, un chagrin
d'amour dans une autre vie. Des moments moches,
je vous garantis. Avec des heures où l'on croit voir,
à chaque petite nana brune qui passe, celle qui ne
vous a pas laissé le temps de ne plus l'aimer. Des
heures longues comme des années.

Il m'avait fallu aussi batailler ferme contre les
silences du téléphone. Ce sont des choses qui lais-
sent des traces. Tous ces combats perdus d'avance.

Marion n'était pas encore rentrée. Depuis notre
incartade à Nantes, notre relation s'améliorait

quelque peu. Ce soir-là, j'ai tenu à lui faire plaisir en rangeant la cuisine de fond en comble. Je ne cherchais pas le contact de ses lèvres. Pour les baisers et le reste, le deuil était accompli depuis fort longtemps. Et puis, j'étais assez loin du type idéal, version Marion. De ces types qui vont toujours très bien, avec des projets plein la cervelle, un rasage impeccable et sûrement des patins dans leur future baraque de cinglés.

J'ai dressé le couvert pour deux avec une chouette nappe. Je suis allé chez l'épicier acheter ce qu'il fallait pour faire une grande salade. À la caisse, il vendait des bougies et j'en ai pris un paquet.

Elle est arrivée beaucoup plus tard que prévu. Je l'ai entendue rire dans le couloir. Je crois me souvenir qu'elle était avec Antoine. J'aurais filé beaucoup pour le trouver moche ce type. Hélas, hormis une chemise à carreaux qui lui donnait toutes les chances pour commenter rapidement les résultats du badminton sur *Stade 2*, Antoine s'avérait plutôt grignotable.

En voyant la jolie table, ils m'ont demandé qui était l'heureuse élue. J'ai craché sur la perche tendue et j'ai réussi à me tenir droit l'espace de quelques phrases :

« C'est pour vous, les enfants, que j'ai préparé tout ça. J'ai acheté une bonne bouteille de bordeaux également. Installez-vous. Prenez place. Je vous servirai pendant toute la soirée. Alban fera le sommelier et Théo le groom. Allez, Antoine. Accepte. Comme lorsqu'on était gamins et qu'on jouait à la marchande ou au docteur. »

Sur la fin, ma voix s'est cassée à cause d'un tropplein d'épreuves. Le petit couple semblait de plus en plus mal à l'aise.

« Non, merci, nous avons déjà dîné, a tranché Antoine.

— C'est pas grave. Ça arrive à tout le monde d'avoir déjà dîné », ai-je murmuré en m'éclipsant.

Visiblement, Antoine et moi n'avions pas joué aux mêmes jeux pendant notre enfance.

*

Je suis resté dans ma chambre pendant trois jours. Sans interruption. Les rideaux fermés. Quartier libre à l'obscurité. Je suis entré en lutte contre l'habitude en commençant par la toute première. J'ai refusé de me lever. Merde à la douche et merde au réveil. Je n'ai presque rien mangé. À peine ai-je bu quelques verres d'eau. Je me suis calfeutré dans mon pieu. J'ai laissé pisser les heures et la radio. Je m'endormais quand je m'endormais. Je bandais quand j'en avais envie. L'instant pouvait s'étendre. J'ai passé soixante-douze heures avec Marie sans qu'elle n'en sache rien. Au royaume pourri de mes rêves, je l'imaginais gamine. Je retrouvais ses cuisses serrées sur les bourrins qu'elle avait dû monter. Je me suis longtemps branlé en me figurant sa première culotte et l'odeur moite de ses aisselles dans son coma. Je me représentais sa chambre, son pyjama. Je rêvais d'enfouir ma gueule au plus profond de ses secrets. Dans les tréfonds de cette petite morte.

Au début, je ne voulais pas. C'était juste mon imaginaire crasseux qui se payait un bon voyage.

Et puis je suis retourné voir Madeleine.

*

« Désolé, m'sieur, mais hors de question que j'ouvre. Maman n'est pas là. »

La tête du gamin s'échappait timidement de la porte. Il devait avoir sept ou huit ans. Il parlait la bouche pleine à cause d'une connerie de Choco BN.

« Je suis un ami de ta maman, petit. Tu n'as rien à craindre.

— Je n'ouvre pas aux inconnus. Point final.

— Écoute…

— Nan. Un inconnu, c'est un voleur, un meurtrier, voire un pédophile en puissance.

— Bingo, rigolais-je, moi, je suis les trois à la fois et en plus, j'avais des nouvelles de ta frangine.

— De… Marie ? Tu connais Marie ?

— Disons que l'on est plutôt inséparables, ces derniers temps. »

Le môme accorda un peu plus de bâillement à la porte. Il murmura :

« Maman est allée voir Marie à son stage.

— C'est un stage de quoi ?

— Elle a dit un stage équestre. Mais j'y crois pas.

— Pourquoi ?

— Elle n'arrête pas de chialer. Si tu veux mon avis, Marie a dû se faire la malle.

— Tu t'appelles comment ?

— François.

— Tu me fais rentrer, François ?

— Mouais. Pas sûr. Seulement si tu fais une Playstation avec moi.

— Va pour la Playstation. »

On s'est installés devant la téloche et j'ai dû batailler ferme avec une armada d'humanoïdes.

« Tu la verrais partie avec qui, ta frangine ?

— Bah, avec son fameux Stéphane. »

Une goutte de sueur glacée a perlé le long de mon dos.

J'ai articulé :

« C'est moi, Stéphane.

— Mon cul, ouais. C'est pas toi, Stéphane, a sifflé le gamin en ne quittant pas l'écran des yeux.

— …

— Je l'ai eu plusieurs fois au téléphone, Stéphane. Et je suis prêt à mettre ma main au feu que ce n'est pas toi.

— Tu veux voir mes papiers d'identité, peut-être ? »

Il a arrêté son jeu et s'est posté devant moi. Les bras croisés.

« Vas-y. Montre-les-moi. »

Le môme paraissait beaucoup plus âgé, d'un seul coup.

C'est un coup de fil qui a débloqué l'affaire et m'a sauvé de l'humiliation et des ennuis. François a joué au petit flic en me disant de ne pas bouger pendant qu'il allait répondre. Il est revenu beaucoup plus inquiet et fébrile que je ne l'aurais imaginé. Le pauvre gamin semblait avoir retrouvé ses huit ans et éclata en sanglots.

« C'était Stéphane au téléphone. Le vrai. Il n'est pas avec ma frangine. »

Je me souvenais d'un slogan crétin que je n'arrêtais pas de me ressasser à son âge. Comme quoi, la meilleure défense, c'était l'attaque. Et la plus grosse possible.

« Assieds-toi maintenant, François. Nous devons parler.

— OK.

— D'homme à homme.

— OK.

— Tu sais garder un secret ?

— La preuve. J'ai pas dit à Stéphane que tu te faisais passer pour lui.

— Ah ouais ?

— Ouais, je voulais rien dire. Histoire de te faire chanter. Comme dans les films. »

Ce petit commençait à me plaire.

« François, ta sœur est en mission.

— En quoi ?

— En mission.

— Tu veux dire, les services secrets.

— C'est exactement ce que je veux dire.

— Bon sang, tonna le gamin. Bon sang, j'en étais sûr. C'est pour ça qu'elle ne peut pas donner de nouvelles. C'est interdit. Loi du silence des agents spéciaux.

— Affirmatif, petit. Mais n'en dis pas plus. Y a peut-être des micros. »

Alors François articula tout bas.

« Elle a le permis de tuer ?

— Elle l'a eu hier.

— Ouahh. Tu la féliciteras.

— *No problem.* »

Il se pinça ses petites lèvres après un lourd silence.

« Dis-lui de faire gaffe quand même.

— Je lui transmettrai en message codé.

— Ouais, méfie-toi des messages codés. Les Ricains ont des machines à décodage numérique, maintenant. »

Nous sommes allés bouffer une glace pour officialiser notre nouveau pacte. Au bout du deuxième milk-shake vanille, il m'a balancé :

« T'as vraiment pas la gueule d'un agent secret, quand même.

— Qu'est-ce que tu crois ? Que si j'étais arrivé en *serial killer*, ta mère m'aurait ouvert les bras et que j'aurais pu vous protéger ?

— T'as raison », m'a fait François. La glace lui avait dessiné des moustaches blanches et il commençait à bien rigoler.

Il m'a proposé de repasser par la chambre de sa sœur pour voir s'il n'y avait pas de documents compromettants. J'ai bandé d'angoisse et de désir rien qu'en pénétrant dans cette pièce. J'ai volé tout ce que j'ai pu : lettres, agenda, disques, photos, sous-vêtements. Sa mère est arrivée un peu plus tard. J'ai fait promettre au petit de ne rien dire et surtout de choper les appels du vrai Stéphane.

« Te bile pas. Ce con n'appelle qu'une fois tous les six mois. »

Madeleine m'a offert le thé. Elle parlait énormément. De l'existence qui avait été vachement injuste avec elle et des malheurs qui s'acharnaient sur les pauvres gens. Je l'écoutais avec beaucoup de compassion. Cependant une question me turlupinait : « Comment une merde aussi insignifiante que cette femme de quarante-cinq ans avait pu mettre au monde une gamine aussi merveilleuse ? »

Elle m'a demandé si je désirais encore un peu de gâteau. J'ai décliné l'offre avec tendresse. J'avais plus important à faire : les culottes de sa petite fille à respirer. On se balançait des regards complices avec François. On était devenus amis.

Encore un qui m'aimait pour de mauvaises raisons.

Impossible de m'endormir ce soir-là. Sur le palier de la porte, Madeleine m'avait proposé d'aller voir

Marie le lendemain à l'hôpital. J'ai accepté l'air de rien mais j'en crevais d'envie. Enfin, j'allais la voir.

*

C'était le soir de l'anniversaire de Renée Papillon. Comme tous les ans, elle nous invitait à prendre un doigt de porto à l'apéritif pour fêter ça. Renée Papillon, c'était la mémoire du monde. Avec des cheveux blancs coupés court et un immense regard bleu.

Chez Papillon, chaque ride était un souvenir. Une souffrance, souvent. Un petit bonheur, parfois. Tout son langage et son univers tenait dans sa belle voix grave. Pour Renée, les banlieusards étaient des rastaquouères, les bouteilles de vin des chopines, et les filles de la télé des petites morveuses. Pendant des heures entières, elle vous parlait d'astrologie chinoise, d'Amazones, du cri du phoque en Antarctique et des atrocités d'une guerre pour les gens démunis. Avec des mots simples, Renée Papillon était foutue de vous emmener loin quelque part.

Hélas, la pauvre femme avait choisi le mauvais jour pour nous inviter. Marion tirait la tronche devant son porto. Alban était ivre mort. Et Théo venait d'apprendre que Thierry le quittait pour un moniteur de ski.

Les deux garçons sont partis les premiers. J'avais envie de rester avec ces deux femmes, si différentes et pourtant si proches. Renée nous a parlé très longtemps ce soir-là. De son mari qui l'avait abandonnée. De ses années de sacrifices pour sa sœur handicapée. De sa petite fille qui était son dernier morceau d'existence. De sa passion pour la peinture.

Plus nous buvions, plus je croisais souvent le

regard attendri de Marion. Renée commençait à avoir la bouche nuageuse et articulait difficilement. Marion déchira un moment silencieux et me demanda comme si nous étions seuls :

« Le repas d'hier, c'était pour toi et moi. N'est-ce pas, Simon ? »

J'ai répondu en posant une autre question à Renée.

« Vous êtes amoureuse, Renée, actuellement ?

— Amoureuse de votre jeunesse, sans doute. Amoureuse de la désinvolture de mes voisins masculins et de l'intégrité de ma voisine. Amoureuse de votre pudeur à tous les deux. »

La vieille dame commençait à m'intéresser bigrement. Elle continua :

« En peinture, c'est ce qu'il y a de plus beau et de plus difficile. Capter la pudeur d'autrui. J'aurais tant aimé peindre la pudeur.

— Pouvons-nous voir vos toiles et vos croquis, Renée ? »

Mme Papillon se leva avec lenteur. Comme si maintenant, elle avait toute la vie devant elle. Elle déposa sur la toile cirée, quelques minutes plus tard, une vingtaine de dessins aux crayons de bois. Sur chacune des feuilles Canson, les deux mêmes corps. Enlacés et dénudés. Parfois, la femme encastrée contre l'homme semble toucher lentement le sexe de celui-ci. Avec délicatesse. Comme une caresse silencieuse.

« La mémoire commence à me faire défaut, nous informa tristement Renée. Le dernier modèle qu'il me reste est celui de mon vieux corps devant la glace de la salle de bains. » D'une main tremblante, elle effleura la courbe d'une hanche sur un croquis. « Un jour, pendant la guerre, poursuivit-elle, un homme m'a aimée. L'espace d'une nuit. Comme jamais. Un Allemand. Un soldat. Jamais un homme ne m'avait possédée ainsi. Avec autant de grâce et de douleur. Jusqu'au petit jour, je suis restée ainsi, après l'amour. La main entre ses cuisses. Moi pourtant si pudique. Pour qu'elle soit belle, les enfants, la pudeur doit toujours se faire violence. »

J'ai fini d'une traite la bouteille de porto. Puis j'ai demandé à Renée si elle n'avait pas en réserve quelque chose de plus consistant. Il lui restait un peu d'armagnac en cuisine. J'ai répondu que ça ferait très bien l'affaire avec du sucre en poudre. La vieille dame est repartie vers sa cuisine. Tout doucement. Comme à son habitude. On ne s'est rien dit avec Marion. Elle avait les bras croisés et les yeux brillants. Avec un mélange de reproche et de défi.

J'ai tendu à Renée de quoi faire un croquis. Je me suis mis debout près de la table en Formica devant mes deux spectatrices. En essayant de ne pas trop trembler, je me suis déshabillé entièrement. Une fois nu, j'ai placé les mains derrière mon dos avec la tête haute, pour une fois. Et puis j'ai offert à Mme Papillon Marion sur un plateau d'argent :

« Désirez-vous que Marion fasse la même chose, Renée ?

— J'aimerais beaucoup, oui », répondit-elle calmement.

Nous regardions maintenant tous les deux Marion, en silence, le visage fermé, qui ne me quittait pas des yeux.

Elle balança ses chaussures à l'aide de ses doigts de pied puis se leva pour se placer devant moi. Je me trouvais à quelques centimètres de sa nuque parfumée. Elle remonta ses cheveux comme pour un chignon et me demanda de bien vouloir retirer les boutons de sa robe. L'étoffe a glissé le long de ses épaules pour mieux chuter jusqu'à ses pieds. Elle ne portait pas de soutien-gorge.

C'est toujours étrange de découvrir un corps alors qu'on l'a rêvé si longtemps. Marion murmura :

« J'aimerais conserver ma petite culotte.

— Je ne préfère pas, non », déclara Renée de façon autoritaire.

*

Prenez un gamin les minutes précédant son premier flirt et vous m'aviez dans les couloirs de l'hôpital. En panoramique. Le souffle court et le teint rougi par l'événement. Des odeurs d'éther se vengeaient sur mes narines. Madeleine me parlait beaucoup trop vite pour que je puisse l'écouter. Un interne s'est pointé avant que l'on ne pénètre dans la chambre : « Trente minutes, pas plus », a-t-il murmuré.

Ce fut la plus forte sensation physique et cérébrale de mon existence. Pendant que Madeleine chialait, je dévorais du regard ce que le drap laissait dépasser. Chaque grain de peau de ses avant-bras. Ses doigts minces et interminables. La pigmentation de ses longs cheveux d'or fin. La forme de ses sourcils blonds quasi transparents. Sur le coin de sa bouche luisait un léger filet de bave. J'aurais bouffé la merde d'un chien pour avoir le droit de le lécher, ce petit filet. Je le jure.

Un copain qui travaillait dans un sex-shop m'avait raconté une drôle d'histoire. Depuis dix ans, un vieil Asiatique venait toutes les nuits à la même heure, regarder le même film amateur. Dans la cabine, le passage qu'il se repassait en boucle était celui d'une jeune fille qui se contentait de se dévêtir et de se toucher légèrement. Elle n'avait fait qu'un seul film. Il n'avait que ce passage furtif. Jamais aucun homme n'avait sûrement ressenti cela pour elle. À l'époque, j'avais jugé ce vieux type comme étant un pauvre fou.

Je le considérais maintenant comme un cœur d'élite.

J'ai chopé l'interne sur le parking de l'hôpital. Marie était en Coma 2. J'ai pas vraiment pigé en quoi cela consistait, alors je lui ai payé une bière pour un supplément d'information. Les seules réactions de Marie étaient des réactions de réflexes lorsqu'on lui provoquait de fortes douleurs.

Au bout de la septième bière, nous avions trouvé un espace de quinze minutes pour que je puisse la voir seul tous les jours.

*

L'appartement commençait à prendre la forme d'un navire en déroute. Théo était parti pour un mois chez ses parents à la campagne afin, je le cite, *d'exorciser la souffrance*. Marion désertait sa piaule au profit du duplex de cet enculé d'Antoine. Il ne restait qu'Alban, ivre du matin au soir, pour hanter, bouteille en main, ce lieu devenu sordide. Pour autant, je refuse l'idée de voir quiconque mépriser mon vieux camarade. Alban était capable de comportements exemplaires.

Je me souviens d'une nuit, alors qu'il tentait de séduire Carole. Par la grâce de multiples ruses, le gros jeune homme avait réussi l'improbable tour de force de s'endormir dans les bras de son illusoire promise. Le combat d'Alban avait alors pu commencer. Une lutte à mort contre le chant du coq. Mon ami s'était saigné aux quatre veines pour obtenir un baiser. Il incarnait, l'espace d'une nuit, *La Chèvre de monsieur Seguin*. L'animal capable de résister jusqu'au petit matin contre l'inexorable. Un VRP de l'amour impossible. Futile comme seule peut l'être la grimace d'un désespoir. Combien de refus cette nuit-là Alban a-t-il essuyés ? Combien de fois a-t-il entendu sa future copine lui dire que c'était perdu d'avance ?

Mais mon ami, mon frangin d'amour, se foutait pas mal d'espérer. Il se contentait d'aller au-delà de lui-même. Dans les bas-fonds de son idée fixe, lorsque le désir tourne à l'obsession. Chaque minute était une lutte contre les crampes et la prise du sommeil. Chaque geste vers elle, chaque étreinte était un flamboyant défi.

Je l'ai vu sortir de la chambre aux alentours de 8 heures du matin. Gueule noire sortant de la mine. Le teint creusé et titubant de fatigue. La bouche usée par trop de sérénade. Alban avait obtenu son baiser. Les jeux du cirque, pour une fois, s'étaient conclus de belle manière. Le peuple, au même titre que les nantis, ne pouvait que s'incliner devant le travail d'artiste de cet amoureux combattant.

Hélas, pour l'heure, l'ancien gladiateur n'était qu'un loukoum difforme vautré sur un canapé. Empestant l'alcool et l'absence d'hygiène, il me demanda de lui rendre un service. Un service aussi détestable qu'affligeant. Un coup de main peu fréquentable. De ceux que l'on prend un malin plaisir à réaliser.

*

Même au creux de sa tombe, la mère Soleil m'aurait conseillé d'éviter le moment qui allait suivre. Devant le fast-food, j'ai descendu ma casquette jusqu'aux sourcils et me suis camouflé dans le col de mon manteau d'existentialiste friqué mais d'extrême gauche malgré tout. Je n'étais même pas sûr d'avoir de quoi tenir avec mes trois écharpes. J'avais dans ma poche les 1 000 balles de cet enfoiré d'Alban. Je me suis dirigé vers la caisse enregistreuse la moins peuplée. Une fille maquillée comme une voiture volée m'a demandé si *c'était pour emporter ou pour manger sur place.*

J'aurais bien poussé le vice jusqu'à bouffer quelque chose, mais j'ai toujours eu plus de tact que de cran.

« Carole travaille ici, ce soir ?

— Ouais, elle est au *cheese.* Bouge pas, j'te l'appelle. »

Les traits de son visage étaient durcis par la colère et j'ai frémi à l'idée qu'elle ne se mette à hurler.

« Qu'est-ce que tu viens foutre ici ?

— À quelle heure termines-tu ?

— Dans une heure.

— Bien, je t'attends au café d'en face. »

En sortant, le type de la sécurité m'ouvrit la porte en me souhaitant une bonne fin de soirée.

Elle s'est assise face à moi alors que j'entamais un quatrième whisky. J'avais du mal à quitter mon verre des yeux. Carole ne fit rien pour m'y encourager.

« C'est drôle, rien qu'à ta façon de marcher, on voit que tu es plus proche de la pourriture que de l'honnête homme.

— ...

— Toujours voûté comme si tu préparais un mauvais coup.

— Carole, il veut te revoir.

— Qu'il crève.

— C'est ce qu'il est en train de faire.

— Eh bien, qu'il continue. »

J'ai posé l'enveloppe sur la table en me doutant que ça n'allait pas arranger les choses.

« C'est quoi ?

— Du fric, Alban tenait à te dédommager. »

Je l'entendais respirer de plus en plus fort.

« Tu peux me regarder, tu sais. J'habite un truc sordide en banlieue et je dois faire vivre mon déchet de père et mes deux frangines avec ma paye minable. Mais ça ne t'empêche pas de me regarder. Tu n'as pas à flipper, ce n'est pas contagieux, la pauvreté.

— ...

— Je crois que j'ai plus de respect pour la racaille de ma cité que pour votre petit groupe.

— Alban m'a dit qu'il t'avait aidée financièrement et il serait ravi de pouvoir continuer. Malgré tout. »

J'ai vu ses ongles s'enfoncer dans la chair de ses mains et j'ai fait un effort surhumain pour ne pas me vomir dessus.

« Putain.

— Pardon ?

— Tu me proposes de faire la putain.

— Non, ce n'est pas aussi simple. Tu devrais juste le revoir. Lui donner une dernière chance. »

Elle retira son pull et me montra ses bras tachés de bleus et de brûlures de cigarette.

« C'est ce qui reste de la dernière fois où j'ai vu Alban. Garde ton fric, Simon. Et garde ta vie aussi. Elle ne m'intéresse pas. Je préfère la mienne. Bien qu'elle soit beaucoup plus difficile. »

Et Carole est partie, me laissant seul avec un goût désagréable dans la bouche.

Ne cherchez pas à comprendre au sujet d'Alban. Je veux bien reconnaître que les apparences ne doivent pas jouer en sa faveur. Il va falloir que je vous raconte et ça ne m'emballe que très moyennement. Par où commencer ? Disons que cela peut vous paraître étrange tel que vous me voyez là, mais moi aussi, j'ai été un type amoureux.

À l'époque, je logeais dans une piaule de bonne sordide du VIe arrondissement. Sans vouloir faire forcément dans le pathos, sachez juste que je m'étais investi comme jamais dans une histoire sentimentale. Et je mets « sentimentale » pour éviter de faire « pauvre type ». Mais, pour ma part, et même avec du recul, je considère encore cette histoire comme une sublime histoire d'amour. J'avais le cœur en pagaille et l'aventure humaine ne dura que trois mois. Je vois l'objection venir d'ici : « Qu'est-ce que tu nous emmerdes pour trois mois ? » Exact. Mais quoi, mince, faut pas non plus prendre cent sept ans pour tomber amoureux des gens. C'est même plutôt pas conseillé du tout. Si vous voulez mon avis.

Aujourd'hui encore, j'ai pas trop envie de rentrer dans les détails. C'est lorsque ma petite magicienne m'a invité à l'île aux Moines que le pire s'est déclaré. Il s'est installé à sa façon. Vous le connaissez. L'emménagement tranquille, irrémédiable. Comme à son habitude. Petit enculé, va.

Au bout d'à peine une journée, le cher amour m'a fait comprendre que ce n'était peut-être pas une si bonne idée que je me sois déplacé. *Qu'elle n'était plus très sûre de ses sentiments*. Bref, tous ces trucs que j'avais balancés quinze mille fois à d'autres avant même qu'elle ne vienne au monde. Me dire ça à MOI. Pour un peu, j'en rigolerais encore.

Dans de telles circonstances, j'étais bien placé pour savoir que l'attitude recommandée était celle du type détaché. Surmontant l'épreuve. Le genre grande classe. Imperturbable. Que dalle ouais. Je me suis planqué pour chialer autant que j'ai pu.

Je me souviens d'être allé sur la terrasse de leur baraque de corsaire parvenu. Histoire de voir si l'oxygène n'avait pas définitivement disparu de cette triste planète. J'ai pensé aussi qu'il était inacceptable qu'il puisse faire si beau un jour pareil. Sa mère est venue me saluer. Elle m'a dit d'un ton enjoué qu'une excellente journée se préparait et que, malgré la différence d'âge entre ma pomme et sa progéniture, elle était vraiment heureuse que je me trouve ici. Pour ne pas fuir comme un gosse, je lui ai appris que son excellente journée commençait plutôt mal. Et que j'allais partir dans l'heure suivante. J'ai même fini en lui disant que si j'avais été un peu moins amoureux de sa fille, je serais sans doute resté un peu plus longtemps.

Avant mon départ, elle a tenu à me préparer un sandwich aux rillettes, une canette de *Diet Coke* et deux bananes. Sur le coup, je n'ai pas osé lui avouer que je détestais les rillettes. Et pour tout vous dire, je l'ai quand même avalé son sandwich. Je l'ai mangé sur le bord de l'autoroute et de bon cœur. Au milieu de toutes ces bagnoles qui filaient à une vitesse incroyable. Tout seul, comme un grand. Jusqu'à la dernière miette. Avec plein de larmes sur mes joues.

On a beau savoir que le pire est toujours certain. Quand un « je t'aime plus Simon », lancé par les lèvres d'une gamine pour laquelle vous auriez filé chacun de vos organes sans la moindre question, vous percute à grande vitesse, les jours qui suivent n'ont rien de foncièrement agréable. Et comme je demeure un type ultra-fréquentable, je vous fais grâce des nuits et de leurs saloperies d'heures supplémentaires.

J'ai tenté, tant bien que mal, de limiter la casse. De faire semblant du mieux que je pouvais. Et Dieu sait que dans ce domaine, j'en connais un sacré rayon. C'est le quatrième jour que j'ai eu un accrochage avec ma boîte aux lettres. C'est moi le fautif. Je l'ai d'abord ouverte. J'ai cherché bien au fond avec ma main et je n'ai touché que du métal froid. Plus que froid, même, glacé. Alors, sur le rebord coupant de la boîte, j'ai méticuleusement déchiqueté chacune de mes phalanges. C'était quasiment scientifique comme démarche. Je passais et repassais ma main jusqu'à ce que la peau s'en aille. Puis je me suis enfermé dans ma piaule. J'ai débranché le téléphone. J'en avais assez d'attendre cette voix qui n'arrivait plus. J'ai vidé des bouteilles de whisky avec des calmants parce que je déteste la souffrance physique. Je ne sais plus combien de temps je suis resté ainsi. Je me souviens juste de la grosse silhouette d'Alban et de la mine triste de son visage quand il m'a découvert. Il y avait un toubib à ses côtés. Un vieux qui m'a fait un mal de chien en me désinfectant tout en m'envoyant des noms d'oiseaux. Ça devait être des oiseaux de mauvais augure.

J'ai encore en mémoire la petite mine désolée d'Alban. Et sa voix dans l'oreille me disant qu'il était prêt à tout pour m'aider. Sans poser de questions. Sans retour. Juste pour que « j'aille un peu mieux ». Les personnes qui, en de tels moments, vous donnent autant, il ne faut pas réfléchir, il faut juste les aider. Jusqu'à la fin. Sinon plus grand-chose ne vaut la peine.

*

Je bossais toutes mes interventions à la manière d'un prof ou d'un député. Chaque quart d'heure dans la chambre de Marie était répété au millimètre devant la glace de ma salle de bains. Mes choix étaient restreints et devaient tenir compte de mes précédents mensonges. Je misais également sur une amnésie partielle. J'étais un véritable crétin inconscient, pour tout vous résumer.

Le premier jour, je suis resté évasif sur la façon dont nous nous étions rencontrés. Je lui donnais plutôt des nouvelles de la planète et de mon enfance. Puis, j'ai gagné en confiance. Je lui ai un inventé un monde, celui de notre histoire imaginaire. J'ai conservé le prénom de Stéphane et j'ai décoré autour. Son écoute et sa compréhension restaient pour moi comme pour les autres un mystère absolu.

Parfois l'interne acceptait que j'apporte ma contribution à la toilette de Marie. J'ai pu ainsi découvrir et laver ce petit corps androgyne. De la plante de ses pieds jusqu'à ses fines épaules. J'éviterai, pour des raisons que vous comprendrez aisément, de vous parler de ses seins menus et de sa croupe enfantine.

Durant une semaine, j'ai usé de mille artifices dans l'espoir d'échapper à l'entrevue que me proposait Madeleine. Mais il a bientôt fallu me résoudre à l'inexorable : rencontrer la meilleure amie de ma princesse comateuse. « Vous comprenez, ne cessait de me rabâcher la vieille, Claire a tellement entendu parler de vous… » Je ne comprenais que beaucoup trop bien.

C'est l'époque où j'ai commencé à boire pour tenir le coup et à me bourrer d'anxiolytiques. Mon équilibre dans le milieu de Marie se fissurait de jour en jour. Le petit François ne se contentait plus de Playstation et de milk-shakes vanille. Sa sœur lui manquait et ça le rendait lucide. Ma seule chance était de prendre le taureau par les cornes. D'avoir toujours un coup d'avance. Un matin, j'ai embarqué le gamin jusqu'à l'hôpital. C'était ma dernière carte.

« C'est arrivé en mission. Tu dois être courageux, petit.

— Maman est au courant ?

— Oui.

— Tu crois qu'elle va s'en sortir ?

— Oui.

— Tu vois, j'ai rien contre la Playstation. J'adore, même. Mais le soir, avant de m'endormir, Marie me racontait des histoires avec des princes, des gros crapauds et des fées incroyables.

— Et alors ?

— Et alors s'endormir après une Playstation,

c'est pas la même chose que de s'endormir après une fée incroyable. »

J'ai eu envie de tout balancer au gamin. Mais je devais rencontrer Claire dans l'après-midi. Je ne voulais pas me répandre maintenant. Il fallait que je reste gonflé à bloc. Que je perpétue l'illusion face à l'étau. Ah, une dernière chose. J'avais, le soir, de plus en plus de mal à m'endormir.

Claire m'avait donné rendez-vous dans une saloperie de salon de thé. Le genre d'endroit où *fumer provoque des maladies graves*. Autour de moi et à perte de vue, des vieilles choses aussi riches que ridées, qui empestent le rouge à lèvres et le parfum haut de gamme. Avec le petit doigt en l'air et la mort pour bientôt. Ici, mes enfants, on se doit de parler doucement. Histoire de s'habituer au silence définitif qui ne va pas tarder. J'en rigole d'avance, mes salopes. Vous avez beau vous précipiter sur la moindre église, la trouille au ventre que le crabe ne vous dévore un peu plus tôt que prévu. Vous repentir enfin de cette attitude lâche qui fut la vôtre, au creux des années quarante. Racheter votre racisme quotidien en filant de lourdes étrennes à la Croix-Rouge du XVIe arrondissement. Vous n'y couperez pas. Vous allez crever. Redevenir ce que vous étiez avant de naître : c'est-à-dire rien de rien. Le néant qu'on appelle ça. Black out total. Absolu. Le putain de sommeil profond. Sans un rêve. Ciao les filles ! Plus vous nourrirez les cimetières, moins De Villiers aura d'électeurs. Il faut les voir, ces carrés Hermés, parler tout bas comme on chuchote de la bave. Se complaire du malheur des plus jeunes devant un bon gâteau. À croire que, passé un certain âge, on ne trouve du plaisir que dans la gravité.

Je suis dans un coin, avachi sur une putain de table *non fumeurs*, en attendant Claire. Avec le petit François et Théo, qui arbore un magnifique tee-shirt muni de l'inscription suivante : « Vite, quelqu'un pour recoller mon cœur brisé. »

Théo couve des yeux François comme si c'était une crêpe chocolat chantilly.

« À l'école, petit, tu es plutôt *foot* avec les copains ou *marchande* avec les filles ? demanda le monstre théophilien dans un intrigant sourire.

— Plutôt *marchande* avec les copains, rétorqua l'autre.

— Qu'il est chou, ce petit.

— Je suis très chou mais je n'aime pas qu'on me mette très longtemps la main sur la cuisse. »

Théo s'excusa et se tourna vers moi.

« Bien, alors, dites-moi, cher... Stéphane. Que je tâche de me souvenir d'à peu près tout. Vous habitez Genève, vous êtes agent secret, vous avez connu Marie lors d'un concours équestre et votre passe-temps favori est de galoper au bord du lac de Constance en plein soleil couchant...

— C'est à peu près ça, ouais », ai-je grincé.

Je ne l'ai pas vue venir. Je me souviens d'abord de sa voix. C'est sa voix qui m'est tombée dessus en premier. Un aboiement sec et méchant. Un son d'huissier.

« Alors, c'est donc toi, Stéphane.

— Ouais, jusqu'à preuve du contraire », déclarai-je. Ce qui fit beaucoup rire Théo. Elle enchaîna direct en s'asseyant :

« Que penses-tu, Stéphane, d'un type qui laisse une gamine de seize ans sans nouvelles pendant six mois alors qu'on vient de lui annoncer qu'elle est enceinte ? »

Théo vint à mon secours :

« Stéphane est incapable d'avoir un comportement si sordide. Strictement incapable.

— Et de la filmer dans des positions humiliantes en lui faisant pousser des cris d'animaux. Ça aussi, peut-être, il en est incapable ?

— Ce stéphane commence à me plaire, rigola Théo. Disons que cela se rapproche un peu plus de ce qu'il pourrait faire. »

Le mensonge stéphanesque fonctionnait un peu trop bien à mon goût. Mais j'étais obligé d'admettre que ce type devait gagner à être connu. Claire se leva. Comme sortie d'un mauvais rêve.

« Et si je balançais tout à Madeleine ?

— J'ai changé, Claire, murmurai-je. Je suis revenu parce que j'aime Marie. J'en suis certain. Laisse-moi une seconde chance.

— J'en sais rien. Je vais réfléchir. Pour l'instant tu me dégoûtes. »

Puis, en s'en allant, elle se mit à hurler :

« La peine de mort. Tu mérites la peine de mort ! »

La peine de mort. Quelle honte. La peine de mort. À moi, qui ai déjà tellement de peine à survivre.

Mentir est un exercice que je ne conseille à personne. Pas même à mon pire ennemi. C'est épuisant comme attitude. La mémoire, qui doit être à toute épreuve, prend vite l'allure d'une planche pourrie. Et le danger de vos impostures réside dans l'obligation absolue que vous avez de croire en elles. Vos tromperies se doivent d'être sincères dans l'instant. D'une véracité absolue. Comme si vous deveniez quelqu'un d'autre, tout en restant le plus malin possible. Irrémédiablement à l'affût de vous-même et des autres. Le problème des mensonges, en fait, ce sont les autres. Le risque vient toujours de là. Le frisson aussi.

*

Mes visites quotidiennes et hospitalières avaient le pouvoir de m'anéantir. Je passais toutes mes fins d'après-midi dans le salon avec Alban. À boire de la bière, fumer du shit et avaler du Valium.

En cherchant une chemise propre dans la chambre d'Alban, je suis tombé sur un trésor de guerre. Mon pauvre camarade avait habillé un mannequin de cire des vêtements de Carole. Au pied du sanctuaire traînaient une perruque ainsi qu'un flacon de son parfum. Je l'ai senti arriver et je n'ai pas osé prendre la parole.

« Cherche pas à faire le type qui n'a rien vu, a-t-il marmonné.

— …

— D'ailleurs je voulais t'en parler.

— Si tu me proposes d'empailler Carole, sache que je te conseille d'y réfléchir à deux fois.

— C'est pas ça.

— Tant mieux.

— C'est pire. »

Je suis allé dans la salle de bains. J'ai pas mal hésité au début. Entre la mousse à raser et la crème de Marion. C'était ma toute première épilation. J'ai souffert le martyre. Ça me brûlait les yeux de douleur. À chaque plaque de poils que j'arrachais, je songeais au visage de Marie et la souffrance devenait un plaisir. J'ai eu un mal fou à enfiler le tailleur de Carole. Encore plus à me maquiller. J'ai tenté, tant bien que mal, de coiffer la perruque le plus convenablement possible. J'ai même poussé la perfection jusqu'à mettre mes testicules dans une petite culotte. Je suis retourné dans le salon. Alban était étendu sur le canapé. Il m'a demandé de ramener mes faux cheveux en arrière comme Carole procédait si souvent. Et de mettre son parfum. Je l'ai fait en tâchant d'être le plus séduisante possible. Je me suis allongé près de lui et il m'a serré étrangement fort dans ses bras. Son haleine était brûlante et il m'a murmuré :

« Dis-moi que tu m'aimes, Carole. Je t'en supplie. Dis-moi : je t'aime, mon tout-petit. »

J'étais un peu gêné tout de même vu que c'était la première fois que je disais : « Je t'aime » à un garçon. J'ai songé qu'en fait Alban n'était pas un mauvais choix puisqu'il était mon meilleur ami. Je n'ai même pas entendu Théo pénétrer dans le salon. Tellement préoccupé que j'étais par ma déclaration d'amour.

En écartant ses bras comme une offrande, Théo le magnifique s'est exclamé :

« HOURRA ! Bénie soit la contre-nature toute-puissante ! Enfin, le petit Simon est passé à l'abordage ! Marins et pompiers de tous les continents, réjouissez-vous ! Et bien plus que les marins et les pompiers, faites-moi une place, les gars ! »

Puis, nous avons commencé à déconner tous les trois. Avec infiniment de fraternité et de chaleur humaine.

Le soir même, Théo le voyageur repartait. À cause d'un prêtre orthodoxe. Théo était tombé éperdument amoureux d'un prêtre orthodoxe.

*

Les rares moments où Marion passait à l'appartement, elle était accompagnée, *irrémédiablement*, du triste Antoine. Antoine à dîner. Antoine dans le salon. Antoine en pyjama. Antoine et sa mèche blonde de merde qui n'arrêtait pas de faire les essuie-glaces dès qu'il vous adressait la parole. Mais le pire était ailleurs. Antoine ne se regardait pas un film, mais un *petit* film. Il ne vous proposait pas de faire un tennis, mais de faire un *petit* tennis.

Ce type mettait des « petits » à toutes les sauces. Avec l'espoir que ses demandes puissent passer plus facilement. Petite vie au rabais d'un immense petit con.

Plus tard, Antoine, tu feras chier ta fille quand elle voudra arrêter le judo. Tu ne feras pas attention à ses soupirs à la fin des repas en forme de révoltes contenues. Tu mourras comme tu as vécu. En passant à côté de l'incertitude. Un jour, ta femme fera sa *petite* valise, parce que tu auras à jamais préféré le pouvoir à la tendresse. Le manque ne viendra pas de son absence mais de l'habitude que tu avais prise à sa présence. Le soir venu, tu iras prendre une bonne petite cuite avec tes faux amis pour oublier tout cela. Lorsque tu gerberas ton whisky sur le bitume, le fantôme de l'enfant que tu n'as jamais été sera là pour te foudroyer du regard. Si le whisky est de bonne qualité, peut-être que tu l'apercevras.

Antoine, petite frappe à grand budget. On préférera avoir tort avec la tapineuse du coin que raison avec toi. Le regard porté sur ta femme se dépose avec condescendance sur la pauvreté de sa poitrine et non sur les jolis souvenirs qu'elle commence à avoir sous les yeux. Tu roteras l'alcool allongé sur ce lit dans lequel tu as maintenant *toute la place*. Tu songeras que c'est peut-être pas mal qu'enfin cette vieille peau se soit tirée. D'autres auraient retrouvé le tee-shirt sale avec lequel leur promise avait pris l'habitude de s'endormir. Ils auraient déposé leurs larmes à l'endroit où l'odeur était le plus présente. Comme des chiens d'amour. Mais c'est un autre monde, Antoine. Celui où l'on se cherche pour mieux se perdre dans l'autre.

*

Je n'étais pas ultra-joyeux à l'idée d'évoquer la mort. Cependant, d'après mon pote l'interne, il fallait bien trouver quelqu'un pour dire à Marie qu'elle ne devait pas lâcher la rampe. Faut avouer que je n'étais pas en première position pour la convaincre. Je me voyais mal partir dans une digression à la : « Déconne pas, Marie, la vie est une invention merveilleuse », surtout que je commençais à comprendre que ce n'était pas toujours le cas. Je me suis contenté de me rapprocher de son front. J'ai pendant de longues minutes fermé les yeux en respirant l'odeur de sa tignasse blonde. Depuis quelques jours, François m'accompagnait dans mes visites.

« Marie, ne te laisse jamais emmerder par les cimetières, lui proposai-je. Les cimetières, c'est une belle supercherie. Et je ne te parle pas des dates de naissance gravées sur les tombes. Somptueuse connerie, les dates de naissance. Certains ont beau avoir eu une existence particulièrement longue, ça me fait doucement marrer de les imaginer en train de venir au monde.

» Venir au monde, Marie. Tu as cette chance. Tu peux, une seconde fois, *venir au monde*. Prends, mon amour, ces trois mots comme si tu ne les avais jamais entendus. Dans toute leur simplicité. Dans toute leur incroyable violence. "Venir au monde", c'est en définitive tellement de choses, tellement d'instants suspendus à la moue d'une lèvre hésitante. Tu verras, Marie, je t'emmènerai voir la mer les soirs où tu auras trop peur de mourir. Je te préparerai des bouillottes les matins où tu seras chiante parce que tu auras mal au bide. Tu verras, c'est un monde étrange où rien ne vaut la peine. Mais où la peine comme la joie existent. Un monde où même la joie, parfois, nous fait un peu de peine. Allez, Marie, viens. Y'a ton frangin qu'aimerait entendre encore une ou deux histoires de fées magiques et de princesses au cœur pur. »

En fin d'après-midi, j'ai emmené François se balader dans un parc.

« Ton job, ça ne serait pas un peu plus d'être amoureux de ma frangine que d'être agent secret ?

— Exact, petit.

— Tu t'appelles comment, pour de vrai ?

— Simon.

— Simon, pourquoi tous ces mensonges ?

— Ils n'arrivent pas tous ensemble, tu sais. Au début, il n'y en a qu'un. C'est après que tout s'enchaîne. Certains s'enchaînent avec des projets, moi, c'est avec des mensonges. Chacun son truc.

— ...

— Le plus attractif étant forcément le plus dangereux.

— Forcément », a murmuré le gamin.

Il m'a regardé comme on regarde un pauvre type qu'on aime bien malgré tout.

J'ai retrouvé Jean-Marc à 14 heures. L'espace d'un croque-monsieur. C'était notre rite une fois tous les quinze jours à tous les deux. Pardon, je me répète, mais Jean-Marc n'est pas seulement un libraire. C'était aussi du *France-Culture* en chair et en os. Avec Jean-Marc, on se devait de ne pas trop déconner sur certains sujets. Comme Flaubert, par exemple. Si un jour vous avez la chance de croiser mon ami, évitez de lui dire que la lecture de *Madame Bovary* vous a brisé les testicules. Il le vivra mal. En plus, il vous répondra de manière très longue. Comme quoi des milliers d'ouvrages ont été écrits sur l'œuvre de Flaubert, alors que celle-ci ne tient qu'en trois ou quatre bouquins. Pas la peine non plus d'en rajouter sur le théâtre d'avant-garde. Il vous précisera que le théâtre d'avant-garde n'est déjà pas, en soi, une expression très juste. Qu'il préfère que l'on dise théâtre expérimental ou performance contemporaine. Et que le cliché : « Deux spectateurs plus un type nu sur scène avec une tête de cochon sanguinolente dans la main gauche en train d'émettre des cris afin de retranscrire l'origine du langage pendant six heures trente », est un cliché vraiment facile et quasi poujadiste.

Pendant le café, je lui ai relaté mes dernières frasques. De la découverte de la carte d'identité dans sa boutique jusqu'à l'hôpital de ce matin. Il m'a dit de faire attention tout de même. Que les bas-fonds c'était chouette à condition d'en sortir. Visiblement, je commençais à l'inquiéter. Alors, histoire de faire un peu belle figure, je lui dis qu'un jour, j'allais être aussi heureux que lui. Avec une femme et deux, voire même trois gamins.

« J'en doute pas une seconde », qu'il m'a répondu, avec la voix d'un père au chevet de son fils. Dans la chambre d'une clinique. Voix rassurante alors qu'on vient même d'abandonner les chimios et que le toubib propose aux parents de rester, à titre exceptionnel, l'espace d'une dernière nuit.

*

C'est pas que je veuille forcément être injuste avec cette salope d'Antoine. Mais un type qui vous invite au restaurant et vous balance à l'apéritif : « Allez, les copains, prenez ce que vous voulez, c'est moi qui régale », même si, comme le précise Marion, cela part *d'un bon sentiment*, je trouve que c'est très flippant quand même. Cet enfoiré, placé en face de moi, étudiait la carte des vins. Avec son parfum qui pue et son sourire con d'Amerloque présentateur de clips sur MTV.

« La chaîne du câble MTV, ça te dit quelque chose, Antoine ? »

L'ami lève ses yeux bleu neutre de sa carte des vins bourgeoise et m'articule :

« Tu sais, Simon, avec le travail que j'ai, lorsque j'arrive à avoir un peu de temps libre, je préfère le passer avec Marion. »

J'ai pensé : « Grosse pute, je vais t'égorger » et j'ai répondu :

« Excellente attitude, vieux frère. »

Il m'a balancé un clin d'œil complice, ce qui m'a ouvert le ventre et définitivement coupé l'appétit.

À ma droite, Alban avait la bouche ouverte et la tête en arrière cassée contre le dossier de sa chaise. De toute évidence, mon gros camarade finissait sa sieste. En venant prendre la commande, la jeune serveuse semblait inquiète.

« Votre ami n'a pas l'air en grande forme », a-t-elle remarqué.

J'ai caressé la très jolie jeune fille du regard.

« Tout va bien, mademoiselle. Il hiberne. C'est tout. »

On a commandé et j'ai tout de même réveillé Alban pour qu'il prenne quelque chose. Mais il a juste pris une salade verte et un *Diet Coke* car il s'était mis au régime dans l'espoir de reconquérir Carole.

Rêveur, je dévisageais Antoine en l'imaginant en pleine agonie, en train de s'étouffer avec sa langue pleine de sang. Ce crétin voulut entamer un soupçon de dialogue : « Simon, es-tu allé voir la dernière expo au Grand Palais ? » Réponse sifflante de moi-même, la rage jusque dans la gorge.

« NAN.

— Tu devrais. TOI qui ne travailles pas.

— Justement.

— Justement quoi ?

— Je laisse le soin aux actifs, à ceux qui travaillent, paient des impôts et vont crever comme tous les autres, d'aller voir des expos en plus, pendant leur temps libre.

— C'est très généreux de ta part, Simon.

— T'inquiète pas, Antoine. C'est très simple d'être généreux. Tu verras, je t'apprendrai.

— Peux-tu m'expliquer à quoi tu passes tes journées, alors ?

— À ne rien faire. Et ça demande beaucoup d'énergie.

— C'est-à-dire ?

— Je dors, je rêve, je lis, je me branle, je me recouche, je songe à tous les films que j'aurais pu faire, aux bouquins que j'aurais pu écrire. Je pense à Marion aussi. Au premier soir où nous nous sommes rencontrés. »

Les entrées sont arrivées, ce que j'ai considéré plutôt comme bienvenu étant donné les regards détestables que m'envoyait Marion.

Histoire de détendre un peu l'atmosphère, Alban s'est lancé dans des monologues légèrement étranges sur la rédemption des âmes damnées et les femmes africaines qui accouchaient en plein désert et coupaient le cordon ombilical avec leurs incisives.

J'ai picolé férocement et multiplié les cigarettes pendant les plats. Je me suis levé avant les crèmes brûlées. La petite serveuse était derrière le bar. Je lui ai offert un sourire supérieur et impeccable.

« Dites-moi, princesse moderne. Voulez-vous jeter un œil sur mon camarade là-bas ?

— Le gros ?

— Non, l'autre, le premier de la classe.

— Hum, joli mec.

— Mouais, bon, là n'est pas la question car ce jeune homme enterre ce soir sa vie de garçon.

— Mince.

— Soyez forte. Remettez-vous.

— Je vais essayer.

— Bref, je vais lui faire une surprise et me dois de vous mettre dans la confidence.

— J'écoute.

— À la fin du repas, notre ami va sortir sa putain de Carte bleue. Mettez-la dans votre machine, puis prenez un air désolé et dites-lui sur un ton *énigmatique* qu'elle n'est plus valable.

— …

— J'ai bien dit *énigmatique*. »

Je commençais à transpirer sérieux et, pour me donner contenance, je tripotais un morceau de pain sur le comptoir.

« Compris, jeune homme. Et c'est vous qui allez payer.

— *Of course, sweet heart*.

— Pour lui faire une surprise.

— Exact. On ne peut rien vous cacher.

— Rien d'autre ?

— Si. Est-ce que votre chatte a bon goût ? »

Elle sourit en haussant les sourcils.

« Pardon ?

— Je vous demande quel goût possède votre petite chatte.

— Je… je n'en sais rien. »

Je lui tends avec un sourire carnassier mon index ainsi que mon majeur et lui murmure :

« J'aimerais la goûter, s'il vous plaît. »

Elle se met à rigoler crânement.

« Cela ne fait pas partie des plats sur la carte, jeune homme. »

Je ne désarme pas et sors discrètement un bifton de 500 francs.

« Qu'importe, je paierai le prix qu'il faudra.

— Désolée, mais ma chatte n'est pas à vendre. »

Alors je tente de prendre un air triste, et relance :

« Je sais bien que votre sexe, cette ultime intimité, n'a pas de prix. Je veux juste placer mes deux doigts entre vos cuisses puis que vous me regardiez en train de les goûter. Rien d'autre.

— Rien d'autre ?

— Parole d'honneur. »

Ça me fait toujours beaucoup rire, lorsque je m'entends employer l'expression *parole d'honneur*.

« Vous savez, il est tard et j'ai dû beaucoup transpirer…

— Tant mieux, princesse. »

Elle jette un coup d'œil circulaire.

« Je préfère le faire moi-même.

— Allez-y, je vous couvre. »

Avec une incroyable rapidité, derrière le comptoir, elle a entrouvert ses cuisses et s'est exécutée. La gent féminine est une invention vraiment extraordinaire. Le temps d'un éclair, je me suis emparé avec force de sa main pour mieux la porter à mes lèvres.

« J'aurais préféré que ce soit votre langue. »

Je n'ai pas pu lui répondre. J'avais le palais trop acide et délicat. Un vrai palais aux dix mille saveurs. Un palais des merveilles.

Le moment de l'addition ne tarda pas à arriver. La raclure, comme prévu, exécuta la sortie triomphale de sa Carte bleue. Après la phrase fatidique : « Je suis désolée, monsieur, mais la machine n'accepte pas votre carte », l'instant qui suivit fut divin, pathétique et fabuleux. On vit la face du cher ange passer allégrement du vert au rouge. Il y eut même du gris à un moment. Court-circuitant Marion qui allait à sa rescousse, je balançais ma carte à la serveuse. J'ai voulu porter le coup de grâce en leur offrant une coupe de champagne mais Marion a préféré que nous quittions rapidement le restau.

J'ai pris un malin plaisir à prendre mon temps. Histoire de partir le dernier. Au sortir du restaurant, je me suis vite retrouvé face à la jeune fille.

« J'aimerais te revoir, m'annonça-t-elle.

— Moi aussi. J'aimerais que l'on aille acheter des meubles pour notre nouvel appartement. Que l'on fasse le marché tous les dimanches. Que l'on se prenne un café dans un bistrot tous les matins. J'aimerais te demander en mariage et que tu en pleures de joie. J'aimerais te couvrir d'amour une vie entière. Me retrouver à tes côtés, au bas des pistes, aux sports d'hiver. En attendant de voir nos gamins revenir de leurs cours de ski. Je veux te désirer même après trois années de vie commune. Je veux te voir en larmes pour mieux te consoler. Mais j'en suis incapable. Je serais incapable de t'aimer plus de quelques jours. C'est mon grand drame. Je t'aime maintenant. C'est faux. Mais ça le sera toujours moins que dans quelques semaines. Je t'aime. Adieu. »

Impossible de se coucher. Alban et moi étions en décalage perpétuel avec le sommeil. Vers 4 heures du matin, on regardait encore *Histoires naturelles*. Un écureuil était dévoré par une gazelle, laquelle était dévorée par un léopard. Il y avait plein d'organes éventrés et des ralentis sur de longs geysers de sang.

« C'est la même chose qu'en amour, a déclaré mon gros camarade. Carole m'a quitté pour un autre et moi-même j'avais quitté une autre pour Carole.

— Je ne me souviens pas que tu aies quitté quelqu'un pour Carole ?

— Non, mais j'aurais très bien pu le faire », a rectifié Alban.

On était là, bien peinards, en train de s'enfiler quelques bières, lorsque Antoine s'est pointé entre deux tourterelles. Il voulait prendre l'air méchant mais il portait le peignoir mauve et trop court de Marion.

« Simon, pourrait-on aller dans la cuisine, j'aimerais que tu m'accordes deux *petites* minutes.

— Impossible, mec, déclarai-je sournoisement. Je reste dans mon *petit* fauteuil, à savourer ma *petite* bière avec mon *petit* copain. » Alban s'est mis à rigoler en me traitant de *petit* con. Mais Antoine se bloqua devant la téloche au moment où une hyène allait enfin en finir avec une biche.

« Simon, sache que j'ai appelé la boîte vocale de ma banque.

— Super, tu lui transmettras toutes mes amitiés.

— Tu sais, je suis loin d'être dupe. Je t'ai vu manigancer quelque chose avec la serveuse.

— Ce type est complètement parano », a grogné Alban.

Alors Antoine s'est mis à gueuler :

« Marion et moi, nous nous aimons. Désolé d'être aussi franc, Simon, mais tu ne peux RIEN contre cette réalité.

— Tu deviens agaçant et prévisible, Antoine.

— Tu n'aimes pas la réalité. Pas vrai, Simon !

— Si, Antoine, je l'aime. Mais uniquement lorsqu'elle se casse la gueule. Comme tout à l'heure au restaurant.

— C'est la même chose pour *Histoires naturelles* », rajouta Alban.

Antoine était pas mal énervé par notre attitude. Il se fabriqua la gueule d'un grand méchant et me chopa entre quat'z'yeux.

« Je finirai mes jours avec elle, Simon, tu m'entends. Toi, tu finiras tout seul. Et tes dernières heures seront sordides. »

L'entretien commençait à me taper douloureusement sur le système.

« T'as probablement raison, Antoine. Tu finiras ta vie avec Marion ou avec une autre. Mais qu'importe cette personne, puisqu'elle se fera atrocement chier dans tes bras au moment de son dernier souffle.

— Et à cet instant, c'est à Simon le magnifique qu'elle pensera », a conclu (dois-je vous l'avouer, de manière sublime) Alban.

3

L'essentiel est de bien respirer

L'ascenseur m'a libéré et Mme Papillon me faisait face. La porte de notre appartement était entrouverte. Je n'ai pas aimé la forme inquiète que prenait son visage.

« Je crois que M. Alban ne se porte pas très bien. Vous devriez aller voir. »

J'ai essayé de respirer par le ventre. De me persuader que c'était quelque chose de dérisoire qui m'attendait. Dans le couloir d'entrée, on entendait déjà un vacarme impossible. Un compact d'Iron Maiden, ou bien pis encore, sévissait sur la platine laser du salon. Je l'ai stoppé net. J'ai tout de suite reconnu le sac de Carole sur le canapé. J'ai voulu gueuler : « Alban », mais rien ne sortait. Comme si j'étais déjà en pilotage automatique. J'ai marché le plus lentement possible jusqu'à sa piaule, mais la porte de sa chambre est tout de même arrivée beaucoup trop vite devant ma tronche.

La gamine était allongée sur le ventre, les bras en croix et les jambes écartées. Je voyais très bien son visage puisque sa tête avait subi une rotation de cent quatre-vingts degrés. Les lèvres de Carole étaient fendues jusqu'à ses oreilles et son rictus prenait la forme grossière d'une mauvaise plaisanterie. Elle présentait de nombreuses contusions sur le dos. La fente de ses fesses était écartelée, et un important ruisseau de sang l'irriguait pour se terminer sur le blanc des draps. Ses organes génitaux semblaient avoir été scalpés et trônaient dans un des verres sur la commode. Des morceaux de chair avaient été arrachés de la joue ainsi qu'à plusieurs endroits des jambes et du bassin.

Alban se tenait dans un coin de sa chambre, la tête enfoncée dans les genoux. Des paquets de Chipster vides l'entouraient.

« Marion…

— Non, pas encore. »

Je le portais avec son aide jusqu'à ma chambre. Il marmonna, les yeux écarlates :

« J'veux me dénoncer aux flics. »

Je trouvais des Témesta dans la salle de bains et après l'avoir allongé sur mon lit, je lui en fis avaler trois. Je lui ai souri en lui faisant promettre de m'attendre ici et de ne pas bouger d'un centimètre.

De retour dans la chambre, je me suis approché du visage de Carole. Elle respirait encore. Elle a voulu dire quelque chose mais il y avait beaucoup trop de sang dans sa bouche. J'ai pris un oreiller et l'ai collé sur sa tête de toutes mes forces. Au bout d'une longue minute, elle se débattait encore. Je me suis dit que la vie était un truc solide, tout de même. Je suis allé chercher la raquette d'Alban. C'était une Prince 2000 en graphite profilée. J'ai placé l'angle de la raquette sur son visage. Puis, après avoir respiré un bon coup, je me suis mis à frapper comme un fou. Jusqu'à ce que son visage ne devienne plus qu'une étrange bouillie.

J'ai procédé de manière méthodique. Deux vieilles couvertures m'ont permis d'envelopper la pauvre gamine avec de la grosse ficelle. J'ai mis les draps dans un grand sac-poubelle et, dans un plus petit sac, les morceaux de chair éparpillés sur le parquet.

Je voulais ranger. Je voulais laver. Ranger et laver le plus possible. Comme lorsqu'on a baisé là où l'on n'aurait pas dû. Comme si à force de rangement, le passé allait enfin disparaître.

Après avoir transporté Alban de ma chambre au salon, j'ai mis le cadavre de Carole sous mon lit. Et j'ai fermé à clef. J'ai ouvert toutes les fenêtres pour aérer. Je suis allé me laver les mains puis j'ai allumé une cigarette. Je devais attendre la bagnole de Marion. J'étais sur le pied de guerre. À l'affût du dernier des détails, de la moindre tache de sang. J'ai refilé deux cachets à Alban qui a fini par s'assoupir dans la chambre de Théo.

Marion est arrivée toute joyeuse avec la tonne de sacs de courses. Je l'ai aidée à ranger dans la cuisine. Elle m'a dit :

« Et si je vous préparais un grand dîner ? Avec Alban et Mme Papillon.

— Super-idée, mon ange, que j'ai répondu, mais plutôt demain. Ce soir, Alban est très fatigué. »

Je lui ai préparé des œufs brouillés avec une tranche de jambon blanc. En l'accompagnant d'un verre de vin, j'ai regardé Marion dîner. Elle me racontait les bêtises qu'elle avait pu faire en colonie de vacances et ça me faisait un bien fou. Jamais je n'ai dû écouter les conneries de quelqu'un avec autant d'acuité. Cela me permettait, à moi aussi, d'être en colonie de vacances. De prendre un peu de force et un peu d'ailleurs alors que j'avais, dans la nuit, un cadavre à transporter. Je n'arrêtais pas de lui poser des questions sur d'innombrables détails. J'en voulais encore de son enfance. Je me shootais à ses souvenirs. Je refusais que l'instant se termine. Je me suis discrètement dirigé vers le téléphone, la mort dans l'âme. À la première sonnerie, Antoine a décroché :

« Salut vieux frère, c'est ton camarade Simon, ai-je soupiré.

— Que me vaut l'honneur de ce petit coup de fil ? »

J'ai tenté d'inspirer un maximum d'oxygène. J'avais déjà tué quelqu'un tout à l'heure. J'ai pensé que cela suffisait pour aujourd'hui.

« Je trouve Marion un peu triste ce soir. L'idéal pour elle serait qu'elle dorme chez toi.

— Bien, parfait, merci. Appelle-la, je vais lui dire de passer.

— Antoine, cher ami, réponds-moi franchement.

— Oui.

— N'es-tu vraiment qu'une irréductible petite merde ?

— QU'EST-CE QUE TU DIS !

— Putain, Antoine, je te parle de romantisme, de passer la prendre sans la prévenir et de lui offrir des fleurs qui lui donneront du parfum et une petite chambre d'hôtel où se donnera votre amour. Et toi, couillon, qu'est-ce que tu proposes ? De la choper au téléphone et de lui dire : "Par ici ma grosse, prends ta bagnole et raboule."

— Mais…

— Rapplique, SCÉLÉRAT !

— Bon. Je suis là dans vingt minutes. »

Avant de retourner dans la cuisine, j'ai fait un passage éclair dans le sac de Marion pour lui piquer ses clefs de voiture.

« Marion.

— Oui.

— Je voulais te dire…

— Quoi ?

— Pour Antoine. J'ai peut-être été un peu injuste. Ce doit être un chouette type. Seulement, il cache bien son jeu, c'est tout.

— Eh bien, on est sentimental ce soir, Simon ! »

Le sentimental a dû attendre l'arrivée d'Antoine et de son bouquet de roses rouges pour s'occuper du cadavre. La bagnole se trouvait toujours à la même place dans le sous-sol de l'immeuble. Je suis d'abord descendu en repérage. Il devait être 3 heures du matin. J'ai garé la voiture au plus proche de la porte de l'ascenseur. J'ai plastifié le coffre ainsi que l'arrière de la voiture. J'ai tiré le cadavre en direction de la porte d'entrée. Ça pissait le sang dans l'ascenseur. Mais ça commençait à m'être foutrement égal. Je fonctionnais comme un automate.

Mon corps était glacé et j'ai retiré mes trois écharpes parce que j'avais de plus en plus de mal à respirer. J'ai mis dans la boîte à gants une petite bouteille d'alcool de poire ainsi que deux paquets de cigarettes. Carole était dans son tapis à l'arrière de la bagnole. J'ai bu quelques gorgées de liqueur en tirant sur ma cigarette afin d'y voir un peu plus clair.

J'ai roulé jusqu'au fin fond de la Normandie, vers l'ancienne maison de campagne de mes parents. À cause du puits qui s'y trouvait. Il y avait Leonard Cohen à la radio et je m'imaginais en type marié avec Marie et plein de marmots autour. Des trucs simples. Pour éviter la crise de nerfs.

Je me suis arrêté à plusieurs reprises pour prendre de la liqueur et m'échapper un peu de cette bagnole qui puait la mort. Je savais que l'on avait vendu la baraque à des Anglais. Il y avait donc une chance qu'elle ne soit pas habitée en pleine semaine.

Mes sonneries sont restées sans réponse. J'ai tenté de me lier d'amitié avec le verrou dans l'espoir qu'ils n'aient pas changé la serrure du portail. J'ai beaucoup parlé au verrou. Il a vite compris qu'il n'avait rien à craindre. Que j'étais un vieux camarade très attaché à sa cause.

Il m'a bien fallu une demi-heure pour balancer Carole dans le puits. Je crois même avoir frôlé une monstrueuse hernie. Comme quoi, les temps changent.

Avant, dans ce puits, je jetais des mauvaises notes, mes carnets de correspondance, les photos des filles qui m'avaient trop fait souffrir, ou des bouteilles de whisky vides que j'avais piquées à mon père. Il fallait bien se résoudre à l'évidence et donner raison à ma mère lorsqu'elle disait que je n'allais pas m'arranger en vieillissant.

Avant de m'en aller, je me suis souvenu qu'il m'était arrivé d'envoyer des pièces dans ce puits. En fermant les yeux. Comme on balance des bouteilles à la mer. Parce que j'étais amoureux de la petite voisine. Des sortes de vœux de gamin, en somme. Des prières avant la lettre. Enfant, j'étais toujours en bravade permanente. J'avais le cerveau chevaleresque. Je me lançais d'incroyables défis. Je me disais dans la baignoire : « Simon, si tu es capable de ne pas respirer sous l'eau pendant une minute : la coupe du monde, c'est dans la poche pour l'équipe de France ! »

Si Marie je l'avais rencontrée à six, sept ans, eh bien, laissez-moi vous dire que j'en aurais terrassé pour elle, des dragons gigantesques, le soir venu, sous ma couette, avant de m'endormir. J'aurais même pas hésité une seconde à la sauver une bonne vingtaine de fois de la noyade alors que des saloperies de requins blancs étaient fin prêts à la dévorer.

Non, y'a pas à chiquer. En vieillissant, on perd en héroïsme. Quant à la petite boîte magique de l'imaginaire, on a dû la paumer. Quelque part. Dans l'obscurité du fond d'un puits. Par inadvertance.

J'ai lessivé cette connerie d'ascenseur autant que j'ai pu. De fond en comble. Je crois que jamais on n'a vu un ascenseur aussi propre dans toute l'histoire des ascenseurs. J'ai filé aussi de larges coups de serpillière sous mon lit. Mais je n'avais pas le cran de m'y coucher tout de même. Je ne pouvais m'empêcher de penser au cadavre de Carole, qui, il y a quelques heures encore, traînait sous ma couette.

Je me suis servi un grand verre de whisky et j'ai pris la plus longue douche de toute mon existence. Mais cela n'a pas changé grand-chose.

Je suis allé voir si Alban dormait encore. Je n'ai pas voulu le réveiller. Je me suis allongé près de lui et j'avais beau le regarder, je ne lui trouvais pas une tête d'assassin. J'aurais bien voulu le voir à ma place. Il m'a pris la main dans un demi-sommeil :

« Ah, Simon, t'es là. Heureusement. Putain, j'ai fait un horrible cauchemar. Oh, je te raconterai demain. Tu verras, tu vas rire. »

Je me suis rapproché d'Alban pour lui murmurer que ce n'était pas grave. Que les cauchemars, ça arrivait à tout le monde. Puis je l'ai pris dans mes bras jusqu'à ce qu'il se rendorme. Je suis resté jusqu'au matin. Ce fut une nuit très longue. Je ne voulais pas du sommeil. Je voulais être dans le même coma que celui de Marie.

Je n'avais plus aucun repère. J'étais comme un sale petit morveux perdu dans un terrain vague. C'est Alban qui m'a sorti de ma torpeur. Il a juste marmonné :

« Simon, reste avec moi. Je meurs de trouille. »

J'ai décidé que ce serait mon unique ligne de conduite. Quoi qu'il arrive.

Je savais que Renée Papillon émergeait tôt le matin. Je suis donc passé la voir aux alentours de 7 heures afin de prendre « une p'tite chicorée », selon sa propre expression. Elle était au bout de la table à touiller sa bouillie noire avec son éternelle veste bleu marine. Son paquet de cigarettes était rigoureusement rangé à la droite de son cendrier. En face d'elle, se répandait une immense télévision des années cinquante avec un napperon flasque pour couronne.

« C'est quoi à cette heure-ci comme émission, madame Renée ? » demandai-je comme ça. Histoire de manifester un peu d'intérêt.

« Oh, c'est très bien. C'est *Matin-Bonheur*. »

À contrecœur, j'ai admis que l'on se trouvait en présence d'un bien joli titre.

Mais Renée s'est levée pour aller éteindre la télévision. Elle s'est placée devant sa fenêtre, les bras croisés. Elle me tournait le dos. Sa petite chevelure blanche était entourée d'un épais nuage de fumée. Sa voix était encore plus grave que d'habitude.

« Simon. S'il vous plaît. Allez vous changer.

— Pour quelles raisons ?

« — Votre chemise.

— ...

— Votre chemise est pleine de sang. »

*

Marie, il faut que je te raconte. C'était une chaise en métal. J'ai retiré mon pull et l'ai posé négligemment sur le bas de mon ventre. Comme font les satyres dans les wagons du métro. Je me trouvais dans ta chambre d'hôpital. Confortablement installé sur cette chaise en métal qui me brûlait le dos. À proximité de ton visage. Nous étions seuls et j'avais changé de chemise. Je me disais qu'il fallait faire vite, que les flics pouvaient débarquer d'un instant à l'autre. J'avais conservé la bassine d'eau avec laquelle je t'avais lavée ce matin-là. Je m'en étais barbouillé le visage. Les poils fins de tes aisselles étaient en pleine forme et repoussaient rapidement. J'ai légèrement descendu le drap jusqu'à apercevoir ta petite poitrine. Furieusement amarré à cette chaise en métal, je me suis branlé à quelques centimètres de ton corps. Je te voulais en vie. Je te suppliais à chaque caresse. La masturbation, Marie, n'est rien d'autre qu'une prière païenne. Je voulais envoyer au ciel des crachats. Lui balancer toutes mes larmes blanches. Le supplier pour qu'enfin tu te dédoubles. Chaque giclée de sperme, qui irait mourir sur mon pull, te sera destinée. Je voulais briser ta léthargie. Introduire des plantes carnivores dans ton état végétal. Je gueulais en silence pour que tout cela rouspète, chie, rigole, vive, enfin.

Pour que tu retrouves le plaisir d'un grand verre d'eau, la nuit, quand tu as soif. Le panard de rentrer chez toi et de courir pour aller pisser alors qu'il y avait un quart d'heure que ta vessie en crevait d'envie. Que tu retrouves la joie grisante et dangereuse de se jeter dans des histoires en sachant qu'on ne devrait pas. Je voulais tout cela. Et bien plus encore. Je voulais te voir enfanter. Voir ce nouveau-né sortir de ta chatte transparente. La paternité m'importe peu. Je me caressais pour qu'un jour enfin, dans du satin, dans de la boue ou sur du béton, nous puissions baiser.

Être à toi, Marie. Unis par d'innombrables poches de sueur. Que tu me pénètres de tes doigts si fins. Que tu me craches de plaisir dans la bouche.

Je me suis mis à jouir à gorge déployée. C'est le moment que tu as choisi, Marie, ma frangine, mon ultime repère.

C'est le moment que tu as choisi pour ouvrir les yeux.

*

« Keep cool, relax, pas de panique. » Je lui ai dit de ne pas bouger. Que j'allais prévenir un médecin. Que c'était génial, qu'elle était sortie d'affaire : « Surtout, Marie, pas de geste brusque. Pas de stress, pas de névrose, pas de blocage, j'y vais, je reviens tout de suite après, non, pas un mot, conserve des forces pour tout à l'heure. J'y vais, je reviens, je t'aime, Marie. »

Il y avait plein de sourires dans ses yeux. Moi et mes mains collantes avons battu le record du monde du trouvage de toubib.

J'ai guidé toute la petite troupe vers le bistrot le plus proche de l'hôpital. Madeleine a pris un Perrier citron, Claire un thé, François un chocolat et votre serviteur un triple whisky.

« Quel dommage, Stéphane. Vous êtes le seul qu'elle n'ait pas reconnu.

— C'est normal, madame. Elle nous fait juste une petite agnosie partielle des visages.

— Des visages, non. De votre visage, Stéphane. »

Claire décida d'entreprendre un drôle de sauvetage :

« Madame, quand deux êtres se sont aimés comme ils ont pu s'aimer, c'est la moindre des choses que la réaction de Marie vis-à-vis de Stéphane diffère des autres. »

Madeleine paraissait fort convaincue.

Avant qu'elle ne s'en aille, j'ai pu intercepter Claire par le bras.

« Pourquoi tant de bienveillance, mademoiselle ? »

Elle jeta un coup d'œil circulaire et me transperça du regard.

« Je ne sais pas ce que tu cherches. Je ne sais pas qui tu es. Encore moins d'où te vient ce côté mythomane. Mais…

— …

— Mais tu as pris soin de Madeleine et de François au moment où ils en avaient le plus besoin. Tu les as portés à bout de bras. Chaque jour, tu es allé voir Marie. François m'a confié tes propos. On ne saura sans doute jamais si c'était utile. Mais l'essentiel n'est pas là. L'essentiel est que c'était très beau.

— Je salue l'élégance, merci.

— Ne salue pas trop vite… Comment déjà ?

— Simon.

— Ne salue pas trop vite, Simon. J'ai eu Stéphane hier au téléphone.

— ...

— Il arrive dans une semaine. »

Claire était intelligente. Mais l'intelligence ne suffisait plus. La pauvre vertu tant adulée n'a jamais valu grand-chose face à l'obsession. Pour un être normalement constitué, sept jours était un chiffre dérisoire. Pour un type qui s'attendait à se retrouver en taule dans les heures suivantes pour transport illicite de cadavre, sept jours, c'était le bout du monde. Sept jours ou cent soixante-huit heures pour séduire Marie. C'était même beaucoup plus qu'il n'en fallait.

J'étais gonflé à bloc. Le vent commençait à siffler méchamment et je prenais mon pied dans les vagues. J'allais bosser dans l'urgence. Le seul état dans lequel j'étais un peu valable.

J'ai chopé Alban à son réveil. Je lui ai dit de téléphoner à l'entourage de Carole. De les prévenir qu'il était sans nouvelles de son ex depuis deux jours afin que tout ce petit monde se mette à s'inquiéter. On a bien répété cela ensemble. C'était du travail de pro.

Le lendemain, la disparition de Carole était officiellement déclarée. D'ici quelques jours, les flics allaient interroger Alban.

Le soir, il restait six journées avant l'arrivée de Stéphane.

Il aurait fallu être aveugle et sourd pour ne pas s'apercevoir que le compte à rebours avait commencé.

*

Le temps est une invention bien étrange. On est là à végéter pendant des mois. Assis dans un coin d'existence, à regarder défiler les semaines en fumant des cigarettes. Et puis l'accélération que l'on n'attendait plus vous tombe sur le coin de la cervelle. Le destin s'amuse à vous balancer en une poignée de jours un concentré d'aventure. Six ans seraient souhaitables pour gérer cette énergie. On vous donne six jours et pas un de plus.

Le restau ressemblait au début d'un poème archiconnu. Luxe, calme et compagnie. Vachement d'espace entre les tables et plein de messieurs fin prêts pour accourir à la moindre miette de pain qui dépasse de la nappe.

J'étais en pleine purée de pois, rapport aux sur-doses de Valium que je n'arrêtais pas d'ingurgiter depuis la mort de Carole. J'avais essayé d'en parler un peu avec Alban. Pas simple comme démarche, croyez-moi. Il me raconte à chaque fois la même chose. Que la pauvre fille l'a poussé à bout, que ça l'a rendu dingue et qu'il veut se faire soigner. Vachement plus facile à dire qu'à faire. Je me vois mal arriver chez un psy et lui expliquer : « Salut, Doc ! Écoutez, vieux frère, rien de grave, juste mon copain là-bas qui a mutilé sa copine et qui s'est consolé ensuite avec une tonne cinq de Chipster. Mais bon, tranquille, Doc. À part ça, le gros ronfle du sommeil du juste. »

S'il y a une chose que je déteste avec le mal aux dents, c'est bien les nausées. Et plus ça allait, plus mon assiette que j'essayais de fixer désespérément se barrait en un manège désenchanté.

Heureusement, Marion était en face de moi. Un pantalon blanc pas très épais et sûrement mortel. Un petit haut noir qui monte jusqu'au cou. Maquillée sans en avoir l'air. Bref, la tueuse de première division. Ce que je trouve ravissant aussi, c'est d'imaginer les heures précédentes. Avec les différents essayages et les assauts répétés dans la salle de bains. Voilà ce que j'aime : la préparation. Et l'adrénaline que cela vous procure. La fausse tranquillité dans l'excitation qui monte. Faut pas m'en vouloir. Je suis un gourmet. Un gourmet qui en redemande…

Bien sûr, les intégristes de la vérité vont encore crier au scandale. Nous hurler des : « Ouah ! Halte aux dégueulasses ! C'est pas naturel ce que vous faites. » Des abrutis, je vous dis. On s'en tape du naturel. On lui pisse dessus. Le naturel, c'est la guillotine du mystère. Et le mystère, c'est la sève du frisson. Et le premier qui touche au frisson, moi, je lui saute à la gueule.

Eh oui, mesdames et messieurs les jurés, votre petit Simon persiste et signe de sa plus belle queue : l'artificiel, il en raffole. Qu'une fille ait passé les trois quarts de son après-midi à se faire belle pour moi, je trouve que c'est un cadeau sincère et véritable. C'est même l'une des seules choses dont je ne me sois pas encore lassé, avec les gambas flambées au whisky.

Si ma santé physique pouvait me le permettre, je jetterais un œil aux autres tables pour voir comment on regarde Marion. Et je lui sortirais un truc qui croustille sous la dent, juste pour la voir rougir un peu. Au lieu de ça, je tripote mon nœud de serviette sans trop y croire. Elle m'avait appelé dans la matinée avec sûrement un texte élaboré auparavant. Une allocution prête à bondir des starting-blocks :

« Simon, si je t'invite à dîner, est-ce que tu peux le garder pour toi… »

D'accord, on était loin de la déclaration enflammée du siècle, mais il était difficile d'attendre plus, Marion étant tout de même une fille maquée jusqu'aux incisives.

J'ai commandé une Badoit en guise d'apéritif. Je n'avais pas envie de lui faire honte. Elle risquait de mal vivre le fait que je m'effondre dans mon assiette avant le désert final.

« Tu n'as pas l'air en grande forme, Simon. »

Y a pas. On sent la future toubib.

« Si, j'ai une forme terrible. Mais je cache mon jeu, comme tout le monde. »

Elle m'offrit un pauvre sourire. Je la faisais moins rire qu'avant. Le début de la fin. Je suis allé au rattrapage mais le cœur n'y était pas.

« Alors ce mariage avec Tom Cruise ?

— Je ne t'ai pas invité pour parler d'Antoine.

— Enfin une bonne nouvelle.

— Simon, j'ai quelque chose à te proposer. »

Vite, putain. Mes derniers efforts de lucidité. Regroupement immédiat ! Tous sur le pont ! Les femmes et les petites filles d'abord ! En rangs serrés ! Un effort ! Un dernier.

« Je t'écoute, Marion. »

Elle prit ma main. Elle était plus brûlante que la mienne.

« Simon, j'ai l'impression que nous ne sommes pas allés au bout de notre histoire.

— Effectivement, on n'a jamais baisé.

— Ce n'est pas *seulement* ce que je veux dire.

— Voilà un seulement qui fait du bien, Marion. Comme un rayon de soleil. Comme un peut-être ou un pourquoi pas.

— Je suis sérieuse, Simon.

— C'est bien ton problème et celui des femmes en général. Vous tenez toujours à transformer l'amour, qui est la plus belle des folies, en truc sérieux où l'on s'emmerde.

— Tu commences à faire chier, Simon.

— Excuse-moi.

— Tu crois vraiment que l'on s'ennuierait ensemble ?

— Non. Je ne crois pas.

— Simon, je ne quitterai jamais Antoine si c'est pour me retrouver seule. »

Elle m'avait dit cela d'un air déterminé mais je l'ai tout de même arrêtée avec la main. J'avais pigé la suite. Mon sixième sens. Toujours fidèle au poste. Même sous calmants. C'était quand même dingue ces scientifiques. Lorsqu'ils lâchent un truc solide, il faut qu'ils soient sûrs d'en retrouver un autre sur-le-champ. Mais j'étais très ému tout de même. C'était toujours réconfortant de voir l'amour-propre se faire torpiller par l'amour tout court. Hélas, la question ne se posait même plus.

« Marion, c'est impossible. »

À la façon dont elle se pinçait les lèvres, j'ai senti qu'elle n'était pas furieusement ravie.

« T'es amoureux de ta petite comateuse.

— J'avais oublié combien les filles pouvaient être méchantes entre elles.

— C'est facile, hein, Simon, d'aimer quelqu'un qui ne parle pas. Qui n'existe pas. Ça permet encore de se mentir à soi-même. Vivre une passion avec un fantôme, c'est l'absence de souffrance garantie.

— Marion, je te jure que ça n'a rien à voir.

— Alors quoi ! Tu vas me laisser m'humilier longtemps ? »

Elle avait haussé la voix et je n'aimais pas trop sentir les autres tables commencer à nous écouter :

« …

— Alors ?

— Alban et moi devons partir.

— ...

— À l'étranger.

— Pourquoi ?

— On risque quelques problèmes d'ordre juridique.

— Qu'est-ce que vous avez encore fait ?

— ...

— Vol, drogue ?

— Réponds-moi. S'il te plaît.

— Meurtre. »

Ça l'a foutue hors d'elle.

« MERDE, Simon. Si un jour, dans ta vie, tu dois dire la vérité pendant trente secondes, prends-les maintenant. Par pitié.

— Bon, d'accord. Drogue.

— Quelle sorte ?

— Valium.

— T'es trop con. »

Elle a voulu partir, mais j'ai fait l'effort du siècle pour me mettre debout et me tenir face à elle. En voyant mon visage, elle a dû comprendre que quelque chose de grave devait clocher quand même.

« Simon, qu'est-ce qui se passe ?

— Commence par ne plus me demander pourquoi je pars. »

J'avais les bras tendus comme des cordes et je commençais à me fissurer de partout.

« À part ça.

— À part ça, tire-moi de là immédiatement, avant que je ne m'écroule. Guide-moi jusqu'à ta chambre parce que je n'ai plus le courage de dormir dans la mienne. Et reste à mes côtés jusqu'à ce que je m'endorme. Sans me poser de questions.

— L'avantage avec toi, c'est que ça ne se passe que très rarement comme on l'avait prévu.

— C'est le seul avantage, Marion. Et encore. »

Le corps fiévreux, je me suis allongé dans son lit. Elle a joué à la vieille mère de l'empire chinois. Elle a ôté mon futal et a déposé sa main en cocon sur mon pénis. Elle tournait tout doucement et on continuait à parler de la pluie et du brouillard. J'étais déjà dans un demi-sommeil lorsque j'ai senti que sa bouche prenait le relais. C'était chaud et très délicat.

Le lendemain matin, j'allais prendre le petit déjeuner chez Marie. Pour la première fois, nous allions dialoguer. Il me restait cinq jours. Cela me paraissait très court d'un seul coup.

*

En arrivant, j'avais encore l'odeur matinale de Marion dans mon cou, ce qui me procurait pas mal de courage.

La petite bande était au complet. La mère, le fiston, Claire et en bout de table Marie. Marie, les cheveux détachés. Pire, les cheveux lâchés comme des flammes. Toujours en chemise de nuit mais avec l'air un peu trop vivante cette fois-ci. J'ai essayé, sans aucune réussite, de déceler une trace de tendresse dans son regard. « Faites que ce soit une sinistre crétine », ai-je murmuré en silence.

Le petit François s'astreignait à mettre un maximum de maestria dans le dépôt du beurre sur sa tartine et n'osait pas lever les yeux de son assiette. On entendait les soupirs lourds des uns et le malaise des autres.

Il n'y avait que cette pauvre Madeleine pour se trouver encore à quatre milliards d'années-lumière de la vérité. « Voyons, Marie. Va donc embrasser Stéphane. »

Tous, nous regardions le visage de Marie avec une légère pointe d'inquiétude. Elle venait d'enfourner une tartine pleine de confiture et la mastiquait avec nonchalance en me tenant tête.

« Eh bien, Stéphane, dites quelque chose, s'énerva Madeleine.

— Marie, es-tu contente de... »

Mais je stoppai net ma question, car Marie venait de recracher sur la nappe blanche, avec un calme olympien, ce qui avait dû être sa tartine et qui n'était maintenant qu'une abominable bouillie rouge.

« Je suis ravie de te connaître enfin... Simon », nous confia-t-elle.

J'ai demandé qu'on nous laisse seuls pendant quelques minutes. Je n'avais plus peur. J'étais comme l'autre dans son tonneau. Libre et misérable.

« Tu m'as l'air d'une petite menteuse, Marie. »

Elle eut le rire méchant.

« Sans blague.

— La preuve, je suis sûr qu'au bout du compte, tu n'es pas réellement ravie de faire ma connaissance.

— Exact. Je ne suis ni ravie ni blessée. Pas même en colère. J'en ai juste strictement rien à foutre.

— Marie, nous nous sommes rencontrés quelques heures avant ton accident.

— C'est faux. Je me souviens de tout. Tu n'es qu'un opportuniste déjanté qui s'est fait passer pour Stéphane auprès de ma mère.

J'ai tenté de faire belle figure, malgré les coups :
« Marie, tu faisais des photocopies dans une librairie. Nous avons parlé d'un livre que nous avions aimé tous les deux. Nous avons évoqué le théâtre et les balades à cheval. Nous sommes allés prendre un café sur une terrasse. Lorsque nous nous sommes séparés, tu m'as avoué que tu ne voulais pas me revoir parce que tu sortais d'une histoire douloureuse. Moi, j'étais bouleversé par ton visage. Je t'ai suivie toute la matinée. Tu es rentrée chez toi. Et j'ai pu ainsi savoir où tu habitais. Puis je t'ai filée jusqu'au commissariat de police. J'ai essayé durant plusieurs jours de t'oublier. Je n'y arrivais pas. J'ai donc sonné à ta porte et suis tombé sur ta mère qui m'a pris pour quelqu'un d'autre. Je suis peut-être un opportuniste déjanté. Mais il faut me croire, Marie. Malgré tout.

— Tire-toi, maintenant, Simon. Je... je suis très fatiguée.

— Marie, je t'ai veillée chaque matin. Je rêvais de toi chaque nuit. J'ai appris à t'aimer et à te connaître par les gens qui t'entouraient. Laisse-moi te voir encore quelques jours. Donne-moi cette chance, Marie. Tout cela doit te paraître bien étrange. Mais ne me repousse pas. Par pitié.

— Je n'ai pas envie de te connaître, Simon.

— ...

— Je trouve ton visage sans beauté. C'est important les visages, tu sais. On ne peut pas tricher avec un visage.

— Je n'ai plus que toi, Marie. Tu es mon dernier rêve de gosse. Donne-moi quelques jours, puis je m'en irai. Donne-moi quelques jours. Quelques heures avec toi. Je n'ai plus que ça, Marie. »

J'eus la bêtise de croire qu'elle hésitait. Qu'il fallait la faire pencher d'un côté ou de l'autre. Mais de manière définitive. J'ai pris dans ma main la bouillie rouge qui était sur la nappe pour la porter à mes lèvres. À plusieurs reprises, j'en ai avalé des poignées en la regardant. Ses pupilles se sont dilatées de plusieurs centimètres. Elle s'est levée en tenant le dossier de sa chaise comme une protection. Elle est partie à reculons en me regardant tout entier pour éviter de me regarder vraiment. Elle me faisait l'effet d'un rêve, sur le point de s'en aller, à l'heure du réveil. Je ne me souviens plus des mots exacts. J'ai dû avoir droit à un « va-t'en » ou à un « dégage ». Quelque chose de la sorte.

Je me suis levé et j'ai quitté la pièce. Je commençais à comprendre que des types comme Alban en arrivent à de telles extrémités.

Il me restait quatre jours pour faire la différence. J'étais plus déterminé que jamais.

Pire qu'un crève-la-faim.

4

Mourir pour des baisers, d'accord

Théo était dans un fauteuil en train d'écouter Michael Jackson parce que « c'était furieusement tendance en Croatie ».

Il était habillé en *gentleman-farmer* et portait avec nonchalance une casquette vert bouteille.

« Simon, mon ange, tu savais que Carole avait disparu ?

— Alban m'en a touché deux mots, effectivement.

— Ce que c'est drôle que tu me parles d'Alban. La police est justement venue l'interroger. »

Je ne me suis pas entendu crier plus fort que la musique :

« Où EST-IL ? »

Théo a froncé les sourcils et est allé éteindre la chaîne. Il m'a dévisagé avec une mine plutôt inquiète.

« Qu'est-ce que tu as ?

— Les flics l'ont embarqué ?

— Non. Bien sûr que non. Il est à côté, chez Mme Renée avec Marion. Pourquoi ? Que se passe-t-il ? »

Je me suis rapproché de Théo pour le serrer dans mes bras. Il se laissait faire plus qu'il ne répondait à mes pressions. J'ai réussi à articuler :

« Annule ce que tu avais prévu ce soir, mon ami. Je dois te parler. »

Dans le petit appartement de Renée Papillon, l'ambiance était loin d'être au beau fixe. Le salon était vide. Mes deux camarades étaient assis sur le parquet et Renée trônait, définitivement seule, sur une pauvre chaise. Il n'y avait plus de grosse télévision despotique ni de table en Formica. Les huissiers étaient passés dans l'après-midi à cause d'innombrables factures impayées. Alban, ivre comme jamais, avait décidé de monter des barricades pour protéger la porte de Renée. Marion le regardait avec un drôle d'air. J'ai proposé à Renée de se joindre à nous pour la nuit, mais elle a refusé de quitter son appartement. « Vous comprenez, Simon, c'est tout ce qu'il me reste », murmura-t-elle.

Je suis donc allé chercher un matelas ainsi que des couvertures et une lampe électrique.

« Nous passerons vous voir dans la soirée », ai-je promis à Renée. En partant, j'ai demandé à Marion et Alban de ne pas trop tarder. J'avais le cœur lourd comme une enclume.

Ils étaient tous les trois assis autour de la table de la cuisine. Je leur faisais face, debout. Alban avait admis que l'on ne pouvait plus s'en sortir seuls. L'instant avait quelque chose de solennel. Je soupçonne encore aujourd'hui Marion d'avoir deviné ce que j'allais dire. Bien sûr, je ne suis pas rentré dans les détails. Je m'en suis tenu à la version soft. Une dispute qui avait juste violemment dégénéré. Un accident en quelque sorte. Alban s'est vite effondré en de lourds sanglots. À côté de lui tout s'était arrêté. Les attitudes comme les traits des visages. Je me suis dirigé le premier vers Alban. Je me suis penché vers lui en collant ma tête contre la sienne avec ma main sur son épaule. Histoire qu'il me donne un peu de sa tristesse. Marion m'a imité quelques secondes plus tard. Puis Théo, plus faiblement. C'est ce jour-là que j'ai compris ce que voulait dire : faire corps avec quelqu'un.

Hélas, l'union sacrée n'a pas eu lieu. Théo s'est rapidement reculé. En exécutant une triste grimace.

« Je ne peux rester plus longtemps parmi vous. C'est une situation beaucoup trop lourde pour moi. Je m'en vais avec ce secret. Vous ne me reverrez plus. Je prends quelques affaires et je vous laisse le reste. Pardonnez-moi. Adieu. »

Je suis allé coucher Alban avec l'aide de trois Témesta. Je voulais rejoindre Marion dans sa chambre, mais Antoine, tout joyeux, est apparu. Il tenait un magnum de champagne. Il s'est immédiatement dirigé vers sa promise : « Devine qui vient d'avoir son *petit* Sciences-po », l'ai-je entendu baver.

Il était plus d'1 heure du matin et je ne me sentais pas le courage de lui enfoncer son magnum de champagne dans l'anus en commençant par le cul de la bouteille.

Alors je suis allé prendre l'air. Malgré mes inaltérables écharpes, je commençais à avoir sérieusement mal à la gorge. Théo m'a chopé sous une porte cochère. Il m'a proposé du fric afin que l'on puisse s'échapper plus facilement. Je n'en voulais pas. Je n'arrivais plus à le regarder. C'est jamais agréable de voir qu'un type que l'on aime ne tient pas la distance. En revanche, j'ai accepté les clefs de son chalet perdu dans la montagne. Pour deux raisons. D'abord parce que c'était une belle planque, ensuite parce que c'était là où j'avais rencontré Marion. À quelques mètres de cette habitation, à un croisement, je l'avais embrassée. Je me souvenais souvent de ce moment comme d'un moment étrange. J'avais même cru aimer l'espace d'un soir. C'était donc un endroit précieux et même un peu magique. Somme toute.

Théo a voulu que l'on aille prendre un dernier verre, comme avant, sur le zinc d'un comptoir. Des fêtes flamboyantes, Théo en avait donné plus d'une. Nous recevant en peignoir fuchsia avec d'énormes bagues à tous les doigts. Ces soirs-là, le prince Théo était capable d'être impérial de bout en bout. Aujourd'hui, c'était juste un mec qui avait la trouille.

Nous nous sommes quittés sans une jolie phrase. Dans un silence à vous dégoûter de l'humanité tout entière. J'ai décidé de me diriger vers les fenêtres de Marie. Histoire de faire chier le monde encore un peu plus.

Je suis arrivé devant chez elle sous une pluie battante. Je me suis placé en face de sa fenêtre. Je me tenais bien droit, les pieds plantés dans du béton. Comme dans un bon vieux western. J'avais toujours adoré les westerns. Les bons d'un côté, les méchants de l'autre : ça facilitait quand même pas mal les choses.

J'ai viré toutes mes écharpes. Je ne bougeais pas d'un centimètre. Je voulais prendre toute cette flotte dans la gueule. Que mon visage se prenne pour une gouttière. La pluie me coulait de partout. Elle se répandait dans mes cheveux, mes fringues et mes oreilles. Je fixais désespérément cette fenêtre. Dans l'attente d'un mouvement ou d'une lumière. Je grillais mes dernières cigarettes humides comme on se débarrasse de ses dernières cartouches. J'ai repensé à Alban lorsqu'il disait que l'on n'était jamais vraiment de taille contre l'indifférence.

Vers 7 heures du matin, dans le brouillard d'un froid humide, j'ai vu mon François s'extraire du pavillon avec son cartable sur le dos et de la fumée qui sortait de sa bouche à chacune de ses respirations.

« Faut pas rester là, Simon. Marie et Claire ont tout balancé à ma mère. Elle est folle de rage.

— Me laisse pas, petit. On laisse jamais un copain quand il a un genou à terre.

— Bien sûr que je te laisserai pas tomber. Même si tu m'as pas mal menti quand même. Mais bon. À mon avis, tu dois avoir de sérieuses raisons.

— C'est même pas sûr.

— Tant pis. En fait, j'm'en tape. T'es mon ami, point final. Allez, viens avec moi. C'est ma rentrée scolaire. »

J'ai accompagné mon nouvel ami jusqu'à son école. Et Dieu sait que les rentrées scolaires, je ne les porte pas dans mon cœur. À l'époque, la rentrée scolaire, je la revomissais chaque année. Le premier jour d'école, c'était le réveil de la nausée à 7 heures zéro zéro.

« Où tu vas aujourd'hui ?

— Nulle part l'ami. Aux funérailles de l'insouciance.

— Elle est morte de quoi ?

— Poignardée par un stylo bille.

— Mince.

— Et comme elle respirait encore, on l'a étouffée entre les pages d'un agenda. »

C'est pas que je veuille généraliser le corps enseignant. Il y a des gens très bien. Fêlés comme il faut. Mais il y en a d'autres. La bouche pleine de salive à l'idée que le mois de septembre approche. Assoiffés de pouvoir, qu'ils sont. De feuilles d'appel et d'autorité. De pauvres flics, on vous dit.

Le pire, c'est qu'au début, ça plaît même aux élèves. Regardez-les, ces petites gonzesses aux coiffures identiques préparer leurs fringues trois semaines à l'avance. Observez combien chaque détail peut être préparé pour le fameux jour de la rentrée. À croire qu'elles se dirigent tout droit vers la fête du siècle, ces connes.

Rentrée scolaire. Laissez tomber. Moi, je ne rentrais plus nulle part. Pour tout vous dire, je n'étais même plus sûr de pouvoir trouver une sortie provisoire.

J'ai demandé à François s'il acceptait de jouer au facteur. J'avais décidé d'écrire à Marie pour la convaincre. De lui raconter tout ce que j'avais pu vivre et dire pendant son coma. Je me suis souvenu d'un vieil oncle qui disait toujours, lorsque j'étais gamin, que les mots pouvaient changer le monde.

J'avais trois jours pour vérifier, sans trop y croire, les dires de cet ancêtre.

*

Le père d'Alban attaquait la seconde moitié d'un mille-feuille géant. Très vite, il a atteint la dernière bouchée. En observant le coin de ses lèvres, on pouvait voir la crème déborder. J'étais proche du haut-le-cœur lorsque je l'ai vu déglutir. Il avait fait fortune dans la nourriture pour chiens. Le premier qui avait eu l'idée de la bouffe grand luxe pour les clébards, c'était lui.

« Monsieur, je crois bien qu'Alban aurait besoin d'un peu de vacances.

— Simon, ça fait vingt-deux ans que mon fils est en vacances.

— Disons qu'il faudrait qu'il s'éloigne de Paris pendant quelques mois. »

J'ai vite compris qu'il ne voulait pas en savoir plus. Qu'il n'avait aucune envie de mettre en péril sa digestion.

« Bon ça va. Je vous fais un chèque de 20 000 francs. Mais laissez-moi vous dire que vous n'aurez pas un franc de plus.

— Merci, m'sieur.

— Où allez-vous partir ?

— En Irlande.

— Humm ! Dites, Simon, une fois là-bas, quand vous mettrez de la *salad cream* dans vos sandwiches, vous penserez à moi, hein ! Parce que j'adore ça, la *salad cream*. »

Le père d'Alban, c'était juste cent trente kilogrammes de *salad cream* et de petites coupures.

*

J'ai commandé une troisième bière. Je voyageais à vue. Je tentais juste, tant bien que mal, de conserver en ligne de mire les deux jours qui me restaient. Dans deux jours, le grand saut. Dans deux jours, la fuite avec Alban.

Le petit François paraissait inquiet. Il venait de m'annoncer que mes lettres étaient restées sans réponse. J'avais du mal à comprendre ce que le gamin faisait toujours dans mes pattes. Il s'ingurgitait encore une saloperie de glace à la vanille et ça me rendait sacrément nerveux.

« Allez, petit, tu n'as plus rien à faire avec un type comme moi. C'est pas l'Armée du Salut, ici. Va faire tes devoirs.

— J'ai lu tes lettres. Elles étaient très jolies. »

Sa gentillesse commençait à me taper sur le système. Le rôle du père, je le laissais aux crétins qui prenaient leur pied à se croire utiles aux autres.

« Sans blague. Je me fous pas mal de ce que tu penses de mes lettres.

— C'est pas vrai.

— Ouvre un peu tes yeux de têtards en CD-Rom. Je me suis servi de toi depuis le début. J'ai été sympa avec toi uniquement parce que tu pouvais m'être utile. »

Le môme avait la voix tremblante.

« Tu mens. Tu dis ça parce que t'es malheureux.

— Je suis pas malheureux. Ta sœur, je voulais juste la sauter, point final.

— Je te crois pas.

— Je t'emmerde. Dégage, François.

— Il te reste deux jours.

— Il n'y a plus rien à faire. Elle continuera de me détester, quoi que je fasse.

— Tu as peut-être encore une chance.

— ...

— C'est de faire ce que je te dis. »

J'ai décidé de croire en François comme d'autres pouvaient croire au petit Jésus, le soir de Noël.

Il faut reconnaître que l'après-midi passé avec François m'avait réchauffé le corps. On s'est tapé toutes les attractions électroniques de la capitale. Il m'a fait découvrir le film *Star Wars* au Grand Rex et le bowling de l'Étoile. Il était fou de joie lorsque je lui ai proposé d'aller dans un peep-show à Pigalle. « Tu crois que ça ne va pas trop me choquer ? » qu'il m'a demandé. « Mais non, l'ami, je lui ai répondu, c'est à ton âge que c'est marrant les peep-shows. Lorsque c'est interdit. »

Il m'a raconté en large et de travers le début de sa vie de mouflet. La petite Florence pour laquelle il crève d'amour alors qu'elle le regarde à peine. Le jour où pour l'anniversaire de « sa Flo », il s'était pointé en maillot de bain, grand seigneur, parce qu'il y avait une piscine en plastique dans la cour intérieure de l'immeuble. Un grand con s'était foutu de sa gueule et pour laver l'affront, mon héros des bacs à flotte s'était balancé tête la première, en grand plongeon, dans la piscine qui n'était pas encore remplie. Le p'tit gars avait tout de même laissé deux dents de lait dans la bagarre.

Il me racontait la joie qu'il pouvait éprouver le soir qui précédait les vacances aux sports d'hiver. Quand on lui demandait de dormir quelques heures avant le départ et qu'il restait éveillé, les yeux rivés sur le réveil, avec un délicieux plaisir. François, il adorait les sports d'hiver. Il suivait des cours le matin et skiait avec sa frangine l'après-midi. Une année, il avait eu le béguin pour une petite de son école de ski. Le dernier jour, il avait trouvé les tripes pour lui offrir un chocolat chaud. Le lendemain matin, ils s'étaient échangé mille serments et deux fois les mêmes adresses « pour être sûr ». Dans la voiture qui le ramenait de la montagne vers Paris, il s'était mis à pleuvoir. Sur le pare-brise comme sur son visage.

Il me confia également son attente durant de longues années tous les soirs, au creux de son lit. François ne pouvait s'endormir tant qu'il n'avait pas entendu la porte d'entrée s'ouvrir avec la voix, reconnaissable entre toutes, de son père. Un soir, il y a deux ans, la voix de son père avait été remplacée par un coup de téléphone. Il y avait eu les hurlements inhumains de sa mère. François avait prié Dieu, Jésus et saint François pour que son père s'en sorte. Il avait prié jusqu'au petit matin : « Dieu, Jésus, saint François, faites que mon père reste en vie », cette phrase, il l'avait répétée inlassablement pendant de longues heures, sans se soucier de la boule énorme qu'il avait dans la gorge. Malgré tous ses efforts, son père était mort dans la nuit. Depuis, quand François passait devant une église, il avait le cœur en rage.

Le gamin m'avait refilé un peu de vie sans qu'il s'en aperçoive. Ce soir-là, il a téléphoné à sa mère pour lui annoncer qu'il dormirait chez un copain. J'ai ramené le petit à l'appartement. Je suis tombé sur Marion et ses valises. Elle avait veillé sur Alban toute la journée. Elle avait l'air bien triste de nous quitter. Moi, j'avais bien du mal à faire semblant de ne pas l'être.

Marion allait emménager chez Antoine. J'aurais aimé lui sortir du Simon grand style, à Marion. Cocktail : ironie, cynisme, élégance, le tout servi très frais avec une olive. Mais, c'est bête à dire, j'étais juste triste qu'elle s'en aille. J'avais l'impression d'un énorme gâchis. Que tout cela n'était qu'une abominable bêtise. Comme souvent dans les moments critiques, j'ai réagi de manière étrange. J'ai refusé que Marion s'en aille. Je l'ai suppliée de rester encore un soir. Comme si ça pouvait changer quelque chose. Tout s'effondrait sous mes pieds et je n'arrivais plus à le supporter. Nous nous sommes regroupés dans ma chambre. Alban, sous Valium, s'est vite endormi dans un fauteuil. Marion s'est allongée dans mon lit avec François blotti dans ses bras. Moi, j'étais assis à leurs pieds. Je leur lisais des passages de mes livres préférés. Dans deux jours, je ne reverrai plus jamais ces deux êtres. Je conseillais des titres de films et de disques que mes deux camarades faisaient semblant de noter sur des bouts de papier. Je ne voulais pas qu'ils m'oublient.

Pour ma dernière cigarette, j'ai dit à François que j'allais lui raconter une histoire. Que moi aussi, il m'était arrivé une belle aventure à la montagne. Ce fut la seule fois où je trouvais le courage d'évoquer en présence de Marion, et de façon indirecte, ce que j'avais pu ressentir cette nuit-là. La nuit de notre rencontre. Elle écouta mon récit avec une palpable tendresse.

Mais déjà, sur son visage, était inscrite la marque de notre avenir qui allait faire naufrage. Je n'étais maintenant pour elle qu'un souvenir bientôt dissipé. Je me suis couché lorsque je n'ai plus rien eu à dire. François était entre nous deux. Je conservais les yeux ouverts pour apercevoir le visage de Marion en ombre chinoise.

Au petit matin, je suis descendu avec François à l'épicerie du coin. Dans sa robe de chambre trop grande pour lui, le gamin ressemblait au *Petit Prince* :

« J'ai passé une nuit merveilleuse. Ta copine Marion est quasiment aussi superbe que ma fiancée. Merci, Simon.

— C'était la moindre des choses, petit. »

Nous avons préparé à Marion et à Alban un petit déjeuner digne du pays des merveilles.

Pour me dire au revoir, Marion m'a tenu le bras assez fort et pendant très longtemps. En se serrant contre moi, elle m'a fait promettre de faire très attention. Histoire de lui donner le change une ultime fois, je lui ai fait promettre d'embrasser François sur la bouche quand elle lui dirait au revoir. Elle a accompli ce caprice comme elle avait accompli tous les autres : avec une merveilleuse nonchalance.

Pendant qu'elle s'éloignait, François m'a demandé s'il pouvait en savoir un peu plus sur cette princesse que j'avais rencontrée par un soir de neige. Je voulais répondre mais j'ai perdu de vue le taxi qui emportait Marion.

C'est à cet instant que j'ai compris que j'allais avoir un mal fou à m'en sortir.

*

Le soleil s'étalait en travers de la rue. Pire, il en profitait pour me brûler les tempes. Je me suis planqué à l'ombre d'un comptoir. Je m'étais rasé à la perfection. Lavé les dents pendant plus d'une heure. La serveuse m'a demandé ce que je désirais. Ce n'était pas les désirs qui me manquaient. C'était plutôt du temps pour les réaliser et tout ce qui allait avec.

En face, il y avait un gamin qui bouffait un croissant à proximité de son papa. J'aurais filé beaucoup afin d'échanger ma vie contre la sienne. Histoire de me retrouver marmot. Une vie d'enfant, c'est un peu comme une vie de chat ou de chien. On dort beaucoup. On s'emmerde pas mal. Mais on a la conscience un peu moins lourde que dans les années qui vont suivre.

J'aurais voulu être une bouteille. Une cigarette. De celle que l'on place à l'envers du paquet pour que le vœu se réalise. Être le garçon de café et le passant avec sa mallette. J'ai essayé d'avaler mon crème. J'avais du mal. Mon estomac avait décidé d'emménager dans le fond de ma gorge. Je suis sorti du bistrot.

J'ai fixé le soleil les yeux grands ouverts. Juste pour voir ce qu'il avait dans le ventre.

Ce jour-là, je n'ai pas acheté de journaux. Ce n'était pas la peine. Je savais quel jour on était. On était mon dernier jour.

*

Mon poing s'est effondré à trois reprises contre la porte. À l'heure prévue.

« Ma mère est partie chercher Stéphane à la gare. Tu as un quart d'heure. Pas une seconde de plus. »

J'ai bien regardé ce léger bout d'homme. Son visage fin et ses lèvres graves. Ses petits sourcils parsemés. François, mon petit môme aux idées larges. J'aimerais savoir ce que tu donnes maintenant. Mais, pour tout t'avouer, je ne m'inquiète pas trop. Ce que tu m'as donné durant ces quelques jours reste éternel. Tu seras toujours du côté des proscrits, des non-gradés et des paumés. À prendre soin infiniment de ceux qui sont dans l'erreur.

Et moi, François, qui suis tout cela et même pire, je te couvre à jamais du manteau de mon amour. Si sordide soit-il. Toi, mon petit ange rougeoyant.

Je me souviens des marches. Je m'en souviens une à une. Du parfum de son linge qui s'accentuait jusqu'à sa chambre. François ouvrit la porte. La pièce était dans une pénombre a priori sereine. Le petit se rapprocha de mon oreille. Ce n'était pas pour un secret. Plutôt pour m'annoncer quelque chose qu'il n'aurait pas osé me dire à voix haute.

« Elle dort, Simon. Profondément. Comme au temps de son coma. C'est juste quelques somnifères de maman que je lui ai fait avaler avec son jus d'orange avant ton arrivée. Rien de grave. Vas-y, Simon. Vas-y maintenant... Tu as treize minutes. »

Je me suis assis sur le rebord de son lit. Un long moment. En essayant de refouler mon désir. Il y avait les petits néons rouges du radio-réveil qui se décomposaient sous mes yeux. Des minutes que j'étais incapable de calculer. Et puis cette odeur si bonne. Ce corps fragile, pur et transparent. J'ai fermé les yeux. Par-dessus le drap, je me suis penché jusqu'à ses pieds. Mes narines frôlaient le drap. Je l'ai respiré de bout en bout. J'avais de plus en plus de salive dans la bouche et énormément de mal à déglutir. Malgré le drap, la chaleur était plus forte entre ses cuisses. La notion de minutes m'échappait totalement. Je tentais pourtant de l'estimer. Je savais que c'était capital. Le bruit de ma respiration commençait à me faire peur. J'avais les bras, le ventre et les jambes endoloris par trop d'émotion. Comme lorsque j'étais gamin et que je ne mangeais pas assez de sucres lents.

J'ai retiré le drap. Il n'y avait qu'un petit morceau de tissu blanc qui sévissait entre ses cuisses. Une culotte de petite fille. J'ai posé mes lèvres dessus. Sans bouger. Je n'avais plus la trouille qu'elle se réveille. Mon désir allait bien au-delà. J'ai embrassé ses cheveux. Ma langue a traîné de son front jusqu'à la naissance de ses seins. Religieusement, j'ai offert un baiser à l'endroit où son cœur battait. Je me suis attardé dans ses aisselles. J'ai léché sa sueur. C'était un goût âcre qui me faisait violence sur la langue. J'ai tenté d'agripper des yeux les chiffres rouges du réveil. Mais ce n'était plus qu'un brouillard qui dansait devant mon regard. J'ai retiré sa culotte. Sans précaution. Presque avec violence. Ses jambes étaient lourdes de sommeil. Je voulais juste les écarter un petit peu mais rapidement j'ai écarté ses cuisses le plus possible. Il y avait un peu de liquide blanc autour de sa vulve. Ses poils étaient blonds et très fins. J'ai déposé précieusement mes lèvres dans sa chatte en respirant profondément les secondes comme un peu de liquide argenté qui s'écoulait à chaque instant. J'ai noyé mon nez dans son vagin. Léché chaque parcelle de ses petites lèvres roses. Aspiré dans ma bouche son point rouge gonflé de sang. J'ai senti son ventre se tendre. Mais je n'ai pas eu peur. J'ai juste continué. J'ai savouré ses petites fesses blanches. Lapé son anus puis enfoncé ma langue à l'intérieur. C'était une saveur particulière. Vive et terriblement humaine.

Je frottais en même temps mon sexe contre le matelas. J'ai bu sa chatte une dernière fois, aspiré le liquide de sa vulve tout en me faisant jouir dans le creux de la main.

François m'a appelé au moment où j'enfonçais mes doigts pleins de sperme dans son vagin étroit de petite nymphette. Oh! Désobéissance suprême…

J'ai dévalé l'escalier en quatrième vitesse. La bouche humide et le teint rougi. Madeleine venait d'ouvrir le portail. Stéphane se trouvait à ses côtés. Le vrai Stéphane, enfin.

Je suis parti d'un grand rire. C'était nerveux et peut-être un peu désespéré. Je me suis jeté sur elle. Je l'ai embrassée comme du bon pain avec le goût de la chatte de sa fille encore sur mes lèvres.

« Adieu, Madeleine. Éperdument heureux de vous avoir rencontrée. »

La vieille s'est réfugiée dans les bras de Stéphane comme si j'étais le diable en personne.

« C'est lui, Stéphane. C'est LUI ! » a craché l'immonde. Je faisais face à ce grand type. Il avait un visage d'une douceur incroyable. Un visage de toute première beauté. Son attitude n'exprimait ni haine ni frayeur. J'aurais pourtant adoré mourir sur-le-champ. En plein sur la pelouse de ce petit pavillon de merde. La vieille s'est échappée jusqu'à sa baraque.

La voix de Stéphane fut tranquille et extrêmement douce.

« Elle est partie pour appeler les flics. Je crois qu'il vaut mieux que tu t'en ailles. »

J'ai laissé un silence parce qu'il me couvrait d'un regard tendre.

« Adieu, Stéphane. Soyez heureux. »

Alors sa voix se fit surprenante. Presque mélancolique.

« Je ne suis pas ici pour être heureux ni pour prendre soin de Marie. Je suis juste de passage. Je n'ai jamais été vraiment fait pour les histoires d'amour. »

Il avait dit cette dernière phrase avec un soupir étrange. Un soupir étrange et désolé.

Moi non plus, je n'avais jamais été vraiment très doué pour les histoires d'amour.

Souvent, encore aujourd'hui, il m'arrive de repenser à ce fameux type. Ils ne sont pas légion, les seigneurs que l'on croise lors d'une existence.

*

J'avais demandé à Alban d'en profiter pour préparer nos bagages. Nous partions le soir même. Et alors. Qu'importe ! C'est lorsqu'on se trouve dans les bas-fonds que tout recommence. Et puis j'étais avec Alban. Mon frangin d'amour. Mon frère à jamais. Le seul à qui je pouvais remettre entre ses doigts boudinés un détail comme un essentiel. C'était donc étrangement vrai. Pour cette dernière représentation, ma rue m'a vu arriver la mine joyeuse et la démarche aérienne.

Renée était au coin de sa fenêtre. Elle me faisait bonjour alors je lui ai répondu. Comme à mon habitude. Et puis je me suis arrêté. Je n'ai pas compris tout de suite. Elle me faisait un tout petit geste. Un petit geste crispé et mécanique. J'ai mis mes mains par-dessus mes sourcils à cause du soleil. Je voyais des ombres derrière Renée. Son signe, je l'ai deviné plus que je ne l'ai perçu. Discrètement, Renée me faisait *non* de la main. Un « non » aussi discret que ferme et angoissé.

Je me suis planqué un peu plus loin. Près d'une bouche de métro. Je me suis planqué comme à mon habitude. J'ai vu Alban sortir les menottes aux poignets avec plusieurs flics autour de lui. Il poussait les hurlements d'un cochon que l'on est en train d'égorger. Il se débattait comme un poisson qu'on sort de l'eau. Je me suis bouché les oreilles parce que plus ça allait, plus j'entendais distinctement ce qu'il prononçait.

Alban n'arrêtait pas de hurler les deux syllabes qui composaient mon prénom. De douleur, il hurlait. Il me suppliait à s'en arracher les poumons.

Moi, je ne bougeais pas. Je regardais juste. On m'a enterré beaucoup plus tard.

Mais je suis mort ce jour-là.

*

Je ne me souviens pas de tout. Juste d'avoir marché fort longtemps. D'avoir regardé les gens en me demandant comment ils faisaient pour continuer à vivre. J'ai dû m'enfiler quelques bars. Finir dans une boîte. J'avais tellement d'alcool dans mon organisme que j'ai voulu sortir par trouille de m'évanouir. Je me souviens que je n'avais qu'une frayeur, celle de me retrouver à l'hôpital. Je savais que l'hôpital, c'était une identité. Je ne retenais que ça.

J'ai payé en liquide la nuit dans un hôtel minable. Il avait fallu pour cela que je sois assez saoul pour trouver le courage d'aller dormir. Je me souviens de la gueule vérolée du type lorsqu'il m'a dit que les shoots, il préférait qu'on les fasse dans les chiottes.

Je n'ai pas réussi à m'allonger. À cause du trop-plein d'alcool. Je me suis dirigé vers les toilettes. Elles se trouvaient sur le palier. C'étaient des chiottes à la turque. J'ai poussé le verrou en pleurant. J'ai essayé tant bien que mal de lui parler un peu mais je n'y suis pas arrivé.

Je me suis écroulé sur les rayures qui marquent l'emplacement des pieds. Je me souviens d'une odeur de pisse qui m'a fait vomir tripes et boyaux.

J'ai aussi entendu le gargouillis étrange et amical de la chasse d'eau pendant un certain temps. Et puis il y avait cette odeur de pisse et de Javel qui m'incendiait les narines.

Et puis, je ne me souviens plus de rien.

*

Les rues, les feux, les passants. Tout m'était hostile. Cette ville n'était plus la même. Elle était devenue une étrangère qui voulait me trancher la gorge à chaque carrefour. Je marchais en rasant les murs. La tête plus penchée que jamais. Je suis allé dans une FNAC pour m'acheter quelques livres. Quitte à mener une existence de proscrit, autant la passer à bouquiner. Les ouvrages que je palpais, les chapitres dans lesquels je m'efforçais de rentrer m'apportaient un supplément d'oxygène. Comme un peu plus d'âme et de courage. Je n'étais pas terriblement joli à voir ce jour-là. Pourtant, à un rayon du mien, je me suis vite aperçu qu'une très jolie fille me dévisageait. J'étais bouleversé de voir quelqu'un me trouver attractif dans un moment pareil. Je décidai de me rapprocher d'elle pour la remercier. Mais plus je m'approchais de cette jeune fille, plus elle s'éloignait. Avec un drôle de regard. Un regard effrayé. J'ai stupidement pressé le pas. Elle s'est mise à courir en émettant des petits sons incompréhensibles.

Alors j'ai vu mon image se démultiplier. Toutes les télévisions du magasin s'étaient mises à diffuser la même image. La mienne. Mon visage. Avec, juste après, le corps de Carole repêché au fond d'un puits. Puis un connard qui prenait une mine grave pour annoncer Alban avec ses menottes. Et la photo de Marie qui se terminait sur le témoignage d'une Madeleine plus pleurnicheuse que jamais. C'est quand même dingue ces gens qui passent leur vie à vider leur morve dans des Kleenex.

Il n'y avait pas de son sur les écrans. Mais je me doutais de ce qu'ils pouvaient dire. Étrangement, je n'avais plus peur. J'étais juste content de pouvoir enfin en finir avec tous ces médiocres.

*

N'importe quoi. Il faut voir ce que les médias ont raconté sur moi. Des trucs lamentables, vraiment. Des accusations délirantes. Comme quoi j'étais le nouveau Jacques Dutroux. Un être maléfique doublé de la plus sordide des crapules. Certaines chroniques judiciaires me considéraient même comme le cerveau de l'affaire. Déclaration abjecte. Moi, Simon, le Petit Prince, un cerveau ? Alors que je n'existe qu'à l'instinct. Quelle honte.

J'aimerais avoir également une petite pensée pour tous ces violeurs et autres tueurs en série. Il faudrait aussi que l'on se décide à se mettre un peu à leur place. Dans l'injustice qui les foudroie. Je les imagine devant leur télé, les pauvres. Tristes bougres en fuite, à l'agonie. Prostrés dans la position du fœtus face à leur écran. Devant ces images qui les dénoncent sans jamais les comprendre.

Je revois encore cette raclure de Madeleine, présente sur toutes les chaînes hertziennes, en train d'expliquer avec sa petite voix de mégère quel calvaire j'avais fait subir à sa fille. Contente d'avoir enfin son heure de gloire, qu'elle était. Rajoutant même que j'avais forcé François à avoir des attouchements sur ma triste personne. Moi, Simon. Aussi hétérosexuel que Lino Ventura. Faire un truc pareil.

Selon la police, j'avais violé Marie et la petite étudiante en école de commerce. Assassiné et mutilé Carole avec, sans doute, la contribution d'Alban. Alors que je n'ai jamais rien voulu que le bien des gens. Ou le mal. Mais seulement quand le mal était bien fait.

*

Il y avait la queue devant la caisse de la librairie. Je l'ai faite comme tout le monde. Il n'y avait pas de file spéciale pour les meurtriers. Jean-Marc ne m'avait pas remarqué. Devant moi, une vieille faisait chier parce qu'il manquait des pages à son *Modes et Travaux* qu'elle avait acheté la veille.

« Magnez-vous, madame, ai-je déclaré, les tueurs en série ont une patience excessivement limitée. »

Jean-Marc s'est fait remplacer par un jeune type à lunettes avec un pull en V et nous nous sommes retrouvés dans son arrière-boutique. À son regard, j'ai senti que je venais de faire une connerie qui allait m'être bientôt pardonnée. Je m'attendais tout de même à le voir flipper un peu. À ce qu'il me dise : « Tu ne peux pas rester là, j'ai une femme, un môme. J'ai pas envie de me retrouver en taule. » Mais non, rien de tout cela. Il m'a proposé une planque, de l'argent et un passeport pour l'étranger. Il était sérieux, grave et vif. Il est allé vers l'essentiel en quelques minutes. Comme un type qui prendrait le maquis sans hésiter. Mais je ne voulais rien. J'étais juste venu lui donner les 20 000 francs du père d'Alban.

« Je ne reste pas longtemps, Jean-Marc. Je veux juste te donner cet argent. Il est à toi. Je n'ai tué personne pour l'obtenir. Ou presque. J'ai juste menti un peu. Et ce n'est pas la peine de me raconter des craques. Cela pourra t'être utile. Un costume d'Indien pour ton môme, un de ces bouquins étranges dont tu as le secret à publier, avec un peu de chance, même, une maîtresse à entretenir. Non, s'il te plaît, pour une fois, ne dis rien. Ferme ta gueule, mon grand. Il faut que j'y aille. Je dois encore passer quelque part. Adieu, Jean-Marc. »

En partant, j'ai imaginé mon ami qui racontait tout cela à sa femme le soir venu. Le visage au bord des larmes. Et ça m'a fait un bien fou.

*

Je l'imagine impeccable. Toute cette petite foule à mon enterrement. Certains tristes, d'autres moins. Et mon enfoirée de cousine, bien sûr. Toujours si douée pour se la jouer plus triste que les autres.

Je commençais à chialer pour un rien. Dès que je voyais un type aux cheveux blancs dans la rue, par exemple. Je pensais à mon père. Mon père est un type bien. C'est la raison pour laquelle je n'ai pas voulu l'impliquer dans cette histoire. Au journal télévisé, je voyais ces saloperies de caméras plantées comme des vautours devant la maison de mes parents. Guettant leur silhouette. Durant toute son existence, papa s'est astreint à une œuvre. Un truc encore plus dur qu'une œuvre d'art. Il a construit une famille. Il a passé sa vie à faire en sorte que nous ne manquions de rien. Pis, il a tout fait pour nous rendre heureux. Mon père a tellement d'amour pour nous que l'on pourrait vivre encore pendant des siècles entiers.

Je suis contre les quais de gare. Sans trop savoir pourquoi. Je n'ai jamais compris le discours pseudo poétique au sujet des quais de gare. Du style : « Oh, la la, ce que c'est beau tous ces gens en partance. Qui se quittent et qui se retrouvent. »

Avant tout, les quais de gare, moi, je trouve que ça pue. Ça sent la pisse et le poivrot.

Je me suis teint les cheveux en blond. On ne peut pas dire que cela m'embellisse réellement. J'ai pris un billet pour Moûtiers. Un billet pour la montagne. Au guichet, la conne m'a demandé si je voulais un aller-retour et j'ai beaucoup ri.

J'ai acheté la presse. Il y avait un peu moins de choses à mon sujet. On demandait juste, dans le courrier des lecteurs du *Figaro*, le rétablissement de la peine de mort pour moi tout seul. Ce que, somme toute, j'ai trouvé plutôt rassurant. J'ai choisi un compartiment fumeurs. À Lyon, une jeune fille s'est assise en face de moi. Elle portait des baskets et lisait *Belle du Seigneur*.

« C'est un livre pour gonzesses », ai-je murmuré. Histoire de rigoler encore un peu.

« Et alors ?

— Et alors, en plus, ça se termine mal.

— Si ça se termine mal, c'est que ce n'est pas *vraiment* un livre pour gonzesses. »

La discussion commençait déjà à m'emmerder. Je n'attendais plus rien de personne. J'étais épuisé du monde et des êtres humains qui le surpeuplaient de toute leur bêtise. Mais elle a poursuivi :

« Vous allez où ?

— À la montagne.

— Pour les vacances ?

— Non, pour mourir. »

La fille m'a observé d'un peu plus près. Elle a posé le livre sur ses genoux.

« Pourquoi voulez-vous mourir ?

— À cause de *Belle du Seigneur*. Parce que ça se termine mal.

— …

— Et puis parce que je suis un meurtrier, aussi. »

Elle a écarquillé ses jolis yeux bleus et s'est mise à trembloter un peu. Elle a rangé son bouquin dans son sac, s'est levée sans m'adresser un seul regard et a changé de compartiment.

Ce fut ma dernière histoire d'amour.

*

Le bus m'a déposé dans le village. Ce village où j'avais rencontré Marion. Je l'avais tellement aimée, ce soir-là. J'avais aimé son odeur, sa nuque et chacune de ses molécules. Qu'est-ce qu'elle devait faire, en ce moment, cette petite chérie ? À part faire des trucs citoyens avec son copain citoyen. Même baiser, ces deux-là, ils devaient faire ça citoyen.

Je me suis enfilé le seul bar du village. Je l'ai bu tout entier. Au comptoir. Comme un grand. Je ne me suis pas contenté d'un seul cognac. J'étais un condamné de luxe. J'en ai pris vingt. Ce n'est pas parce qu'on va mourir qu'il faut se laisser abattre.

Je ne suis pas sorti en grande forme du bistrot. Je titubais même un peu. Je me suis dirigé vers le croisement. Là où j'avais rencontré Marion. La neige commençait à tomber. Je me suis assis contre un mur de neige. Avec la bouteille de whisky que je venais d'acheter, j'ai avalé la dose de Valium suffisante. J'ai regardé les nuages. Ils dessinaient de drôles de visages. Celui de mes parents et celui d'Alban. Au loin, j'ai vu une silhouette qui se dirigeait vers moi. J'ai voulu me concentrer mais ma vue s'est brouillée pour enfin devenir inexistante.

Pourtant, avant que je ne m'endorme pour de bon, je crois avoir reconnu, dans l'obscurité, la fine silhouette de Marion.

Je n'en suis pas vraiment sûr. Pour tout vous dire.

*

Parents. Si vos enfants sont des enfants sages, dites-leur la vérité. Dites-leur que ce n'était pas Marion.

En revanche, si vos enfants sont des rêveurs, des cancres et des menteurs, vous pouvez toujours leur dire la vérité.

Je vous parie ma tête qu'ils ne vous croiront pas.

5605

Composition
CHESTEROC LTD

Achevé d'imprimer en France
par BRODARD ET TAUPIN
le 9 juillet 2010. 58855

1er dépôt légal dans la collection : juin 2003.
EAN 9782290351451

ÉDITIONS J'AI LU
87, quai Panhard-et-Levassor, 75013 Paris

Diffusion France et étranger : Flammarion